再會了昭和

這一次，我們就要有新弟弟出生了。
搞不好是妹妹喔。
不，一定是弟弟！
妹妹!!
其實啊，那個新的孩子——
已經在媽媽肚子裡待40年了。
是呀，媽媽懷孕40年了。
40年!!
40年來，我們一直在等待新弟弟妹妹的誕生啊。
為什麼不出生呢!?
唔
為什麼!?

噓～～……
在肚子裡一待就是40年，不肯出來……
可見那裡一定很舒服吧。
是這樣嗎——
一定是有些什麼緣故才不出生的啦。
比方說!?
例如長相醜死人了，覺得出生到世上很丟臉呀。
搞不好缺手缺腳。
身體不男不女之類的。
大概是膽子小，不敢來到這世上吧。
也許已經在肚子裡死掉了呢……

我們想把媽帶到醫院去，結果她陷入半瘋狀態，大發雷霆。
不過已經快到達極限了。
就算她不想，孩子不久後還是會出生。
我很期待
咿嘻嘻嘻嘻……
等他出生以後呀，
大家一起笑他吧。
★もうすぐだぞぉ～
那一刻就快來囉～
けけけけけけけ
嘿嘿嘿

再會了昭和／完

新國立少年

丸尾末廣

新國立少年

目錄

電氣蟻

咚—
嘰嘰嘰嘰
噠噠噠噠
鏗
茲茲茲茲
嘰嘰
嘰啾

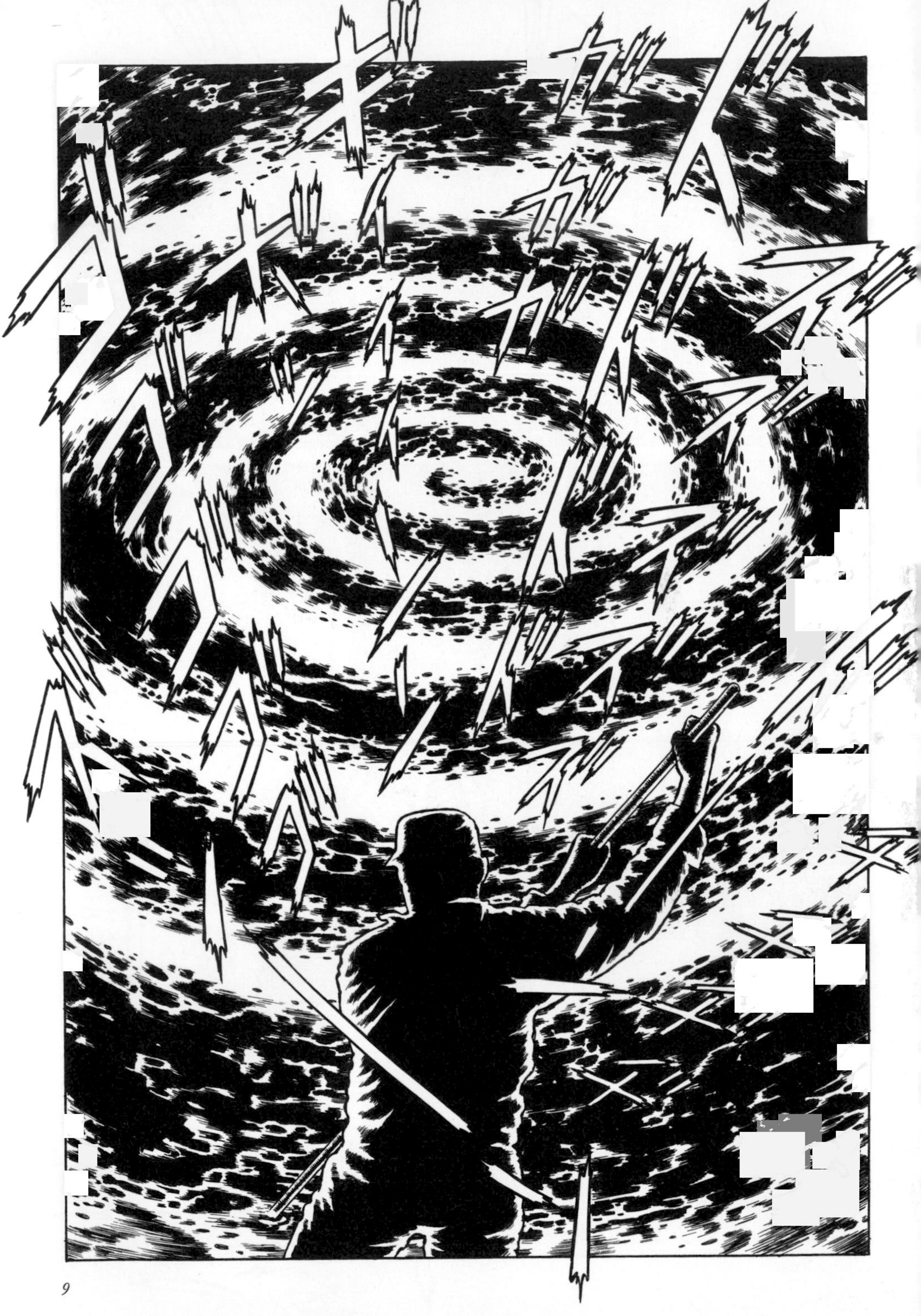

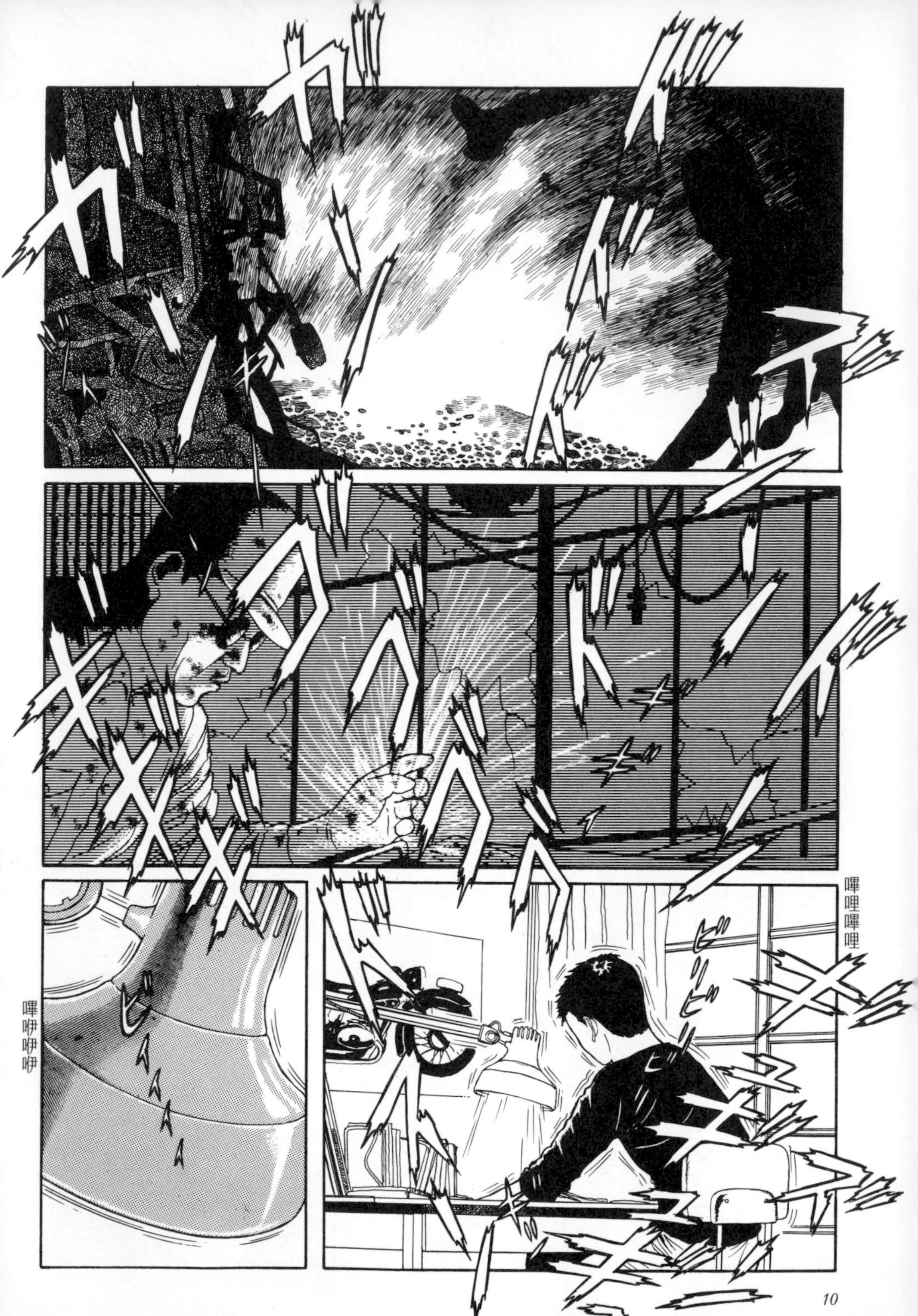
嗶哩嗶哩
嗶咿咿咿

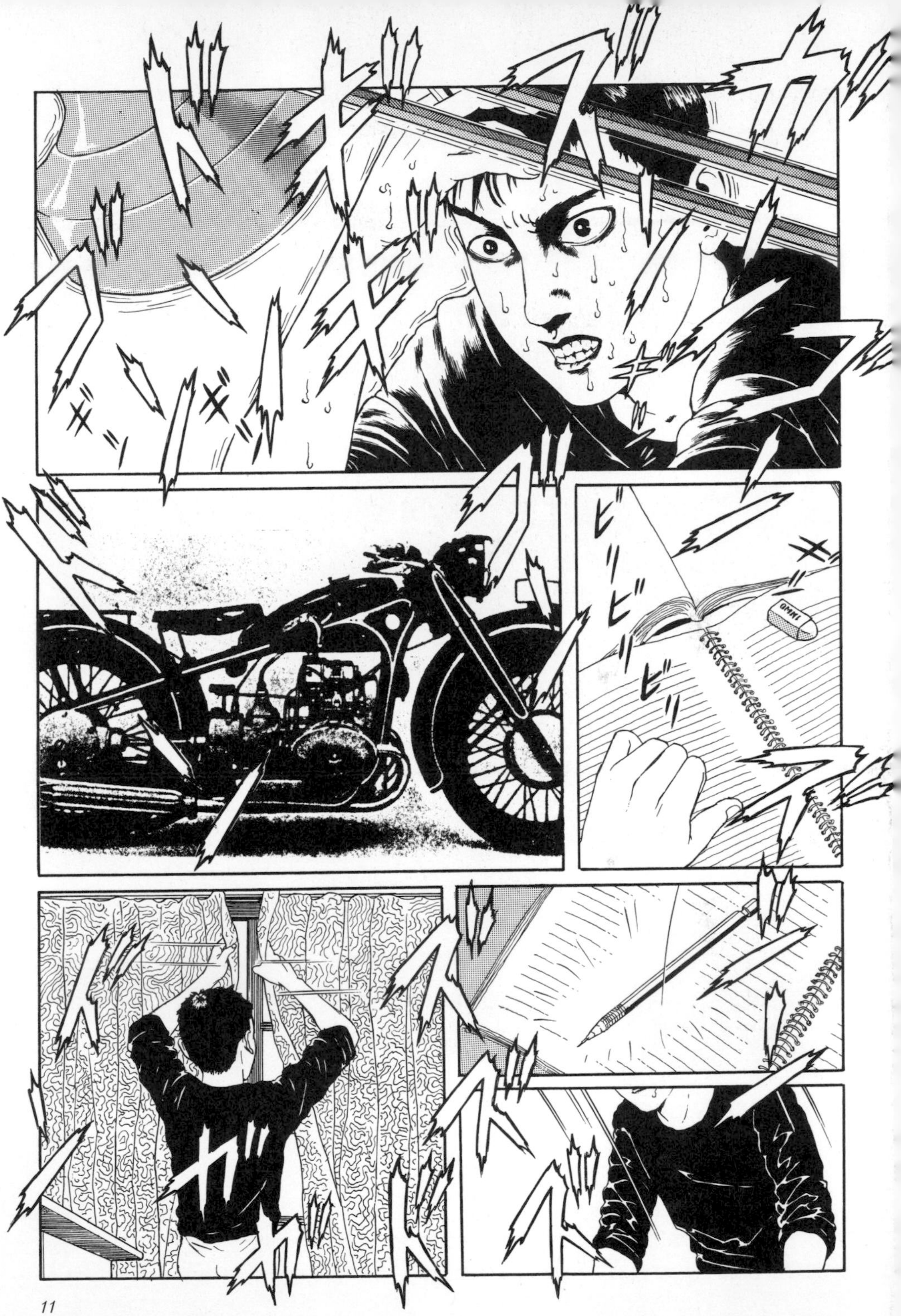

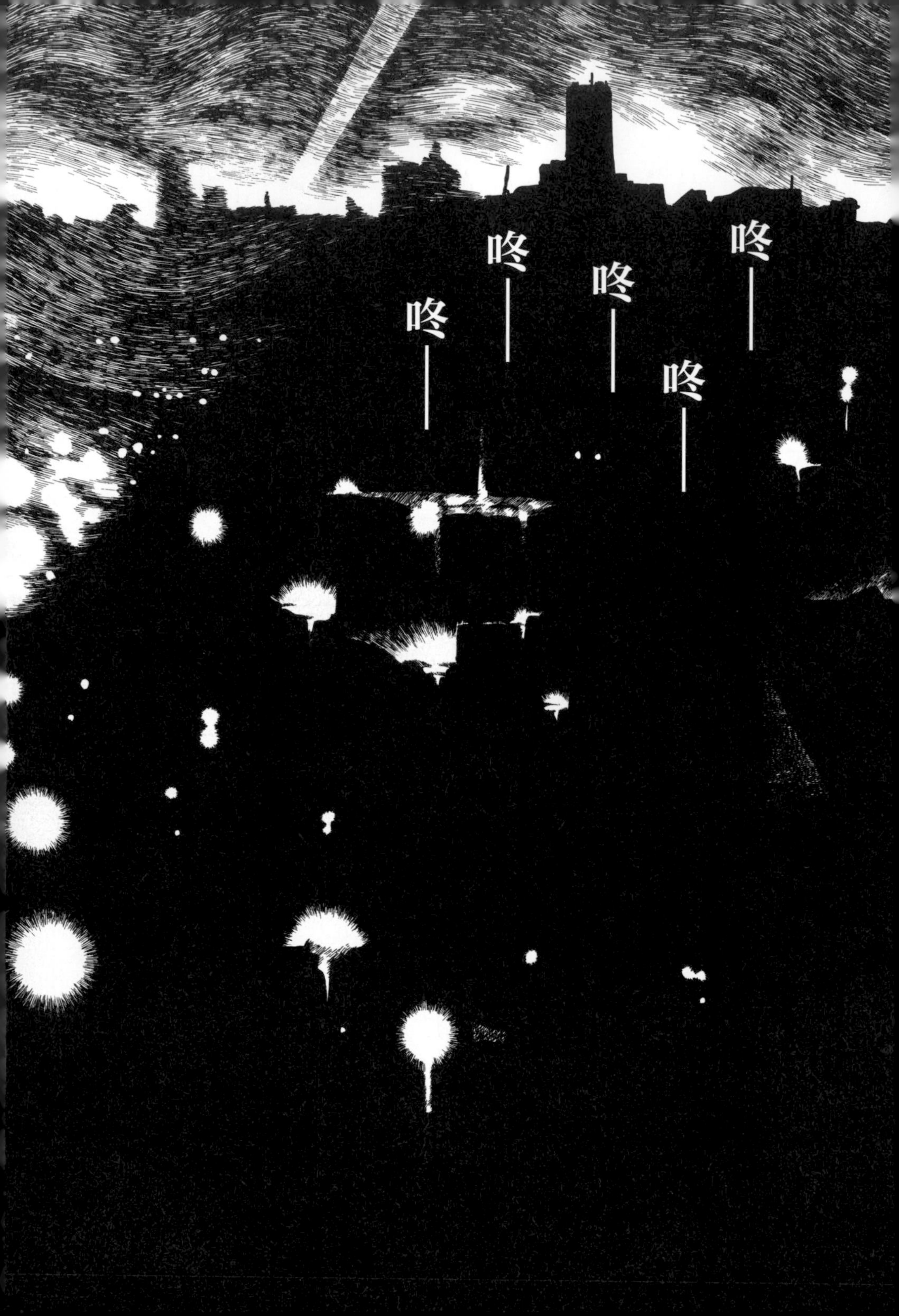
咚——
咚——
咚——
咚——
咚——

徵求夜班工人
18～50歲 男性2名
時薪600～700元
PM 8:00～AM4:00
其他條件可議
太田工業(有)
荒川區町屋3-5-1 (854-6319)
班工人
男子2名
喀哩
喀哩
喀哩
喀哩
喀哩
喀哩
喀哩

嘰哩
ギ
ギリ
ギ
ギリ
嘰哩
ギリ
嘰哩
嘰哩
ギギ
ギギ
ギギ
嘰哩
嘰哩

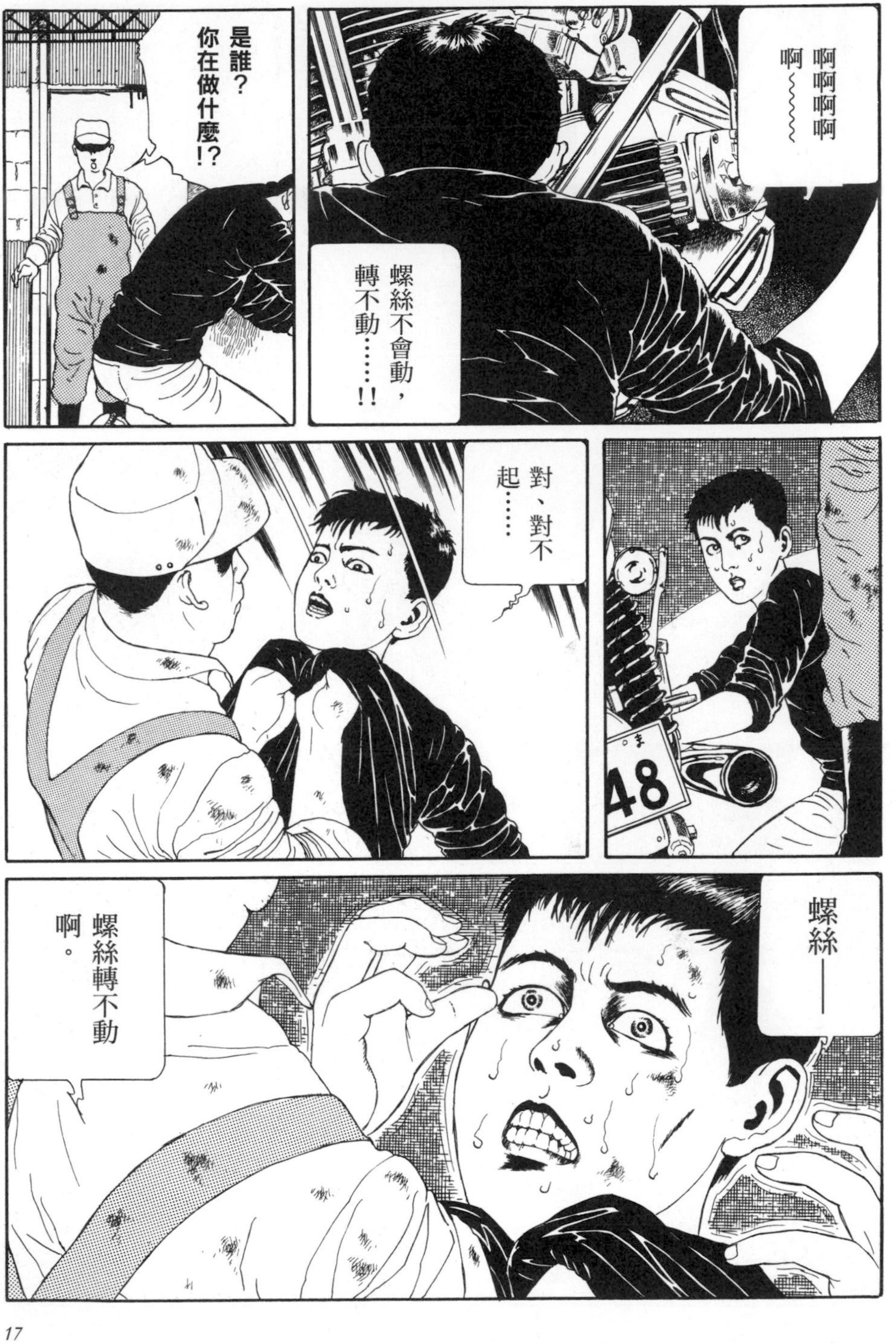

啊啊啊啊啊～～～
螺絲不會動，轉不動……!!
是誰？你在做什麼!?
對、對不起……
螺絲——
螺絲轉不動啊。
48

ESBS
MHz
kHz
TOSHIBA
92 96 102 108
1200 1400 1600
咚—咚—

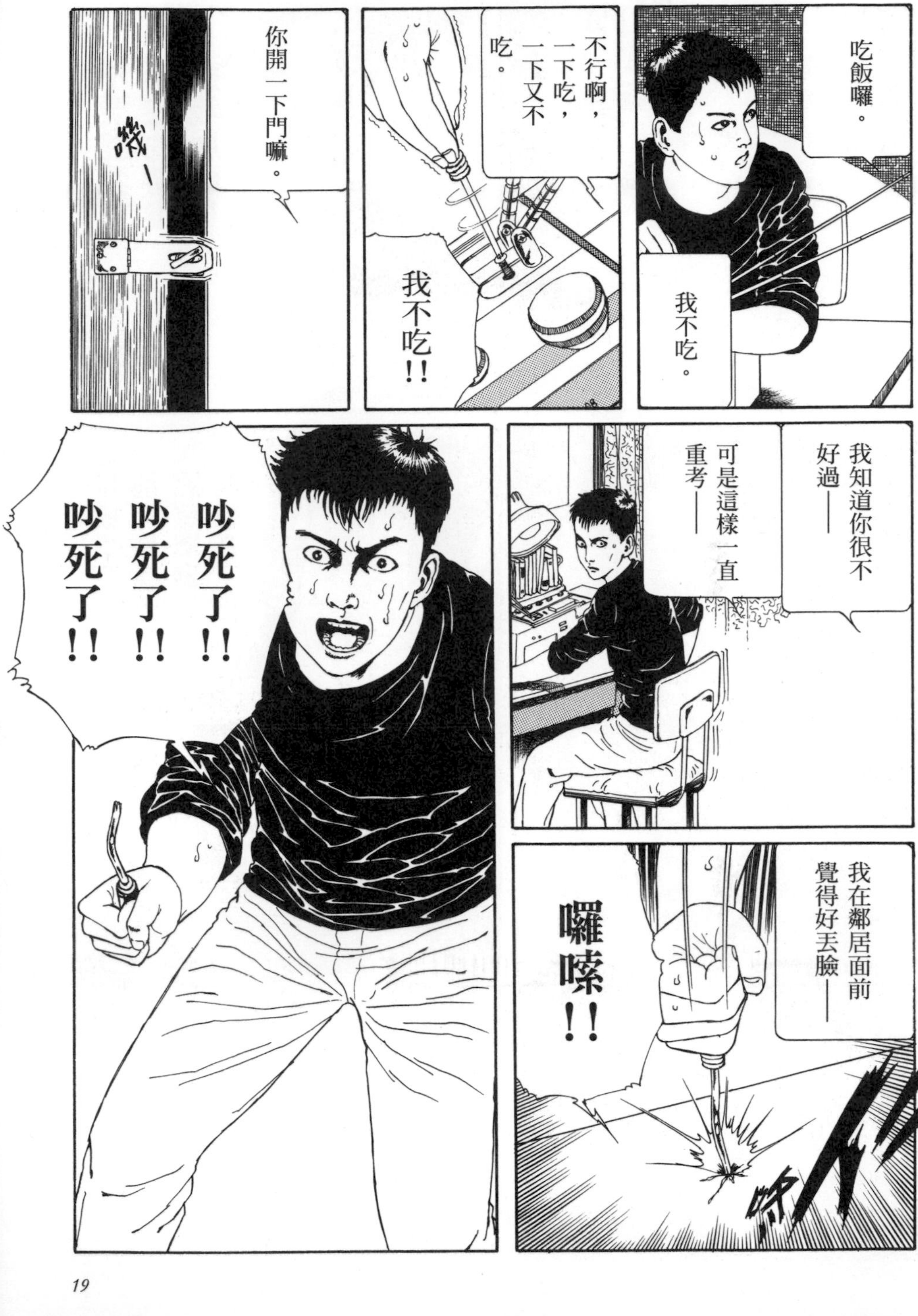
吃飯囉。
我不吃。
不行啊，一下吃，一下又不吃。
我不吃!!
你開一下門嘛。
嘰ー
我知道你很不好過——
可是這樣一直重考——
我在鄰居面前覺得好丟臉——
囉嗦!!
吵死了!!吵死了!!吵死了!!

不要趁我不在的時候進我房間!!
不要偷看我的抽屜!!
都幾歲了，別再半夜弄出窸窸窣窣的聲音了!!
我不想聽老太婆叫床!!

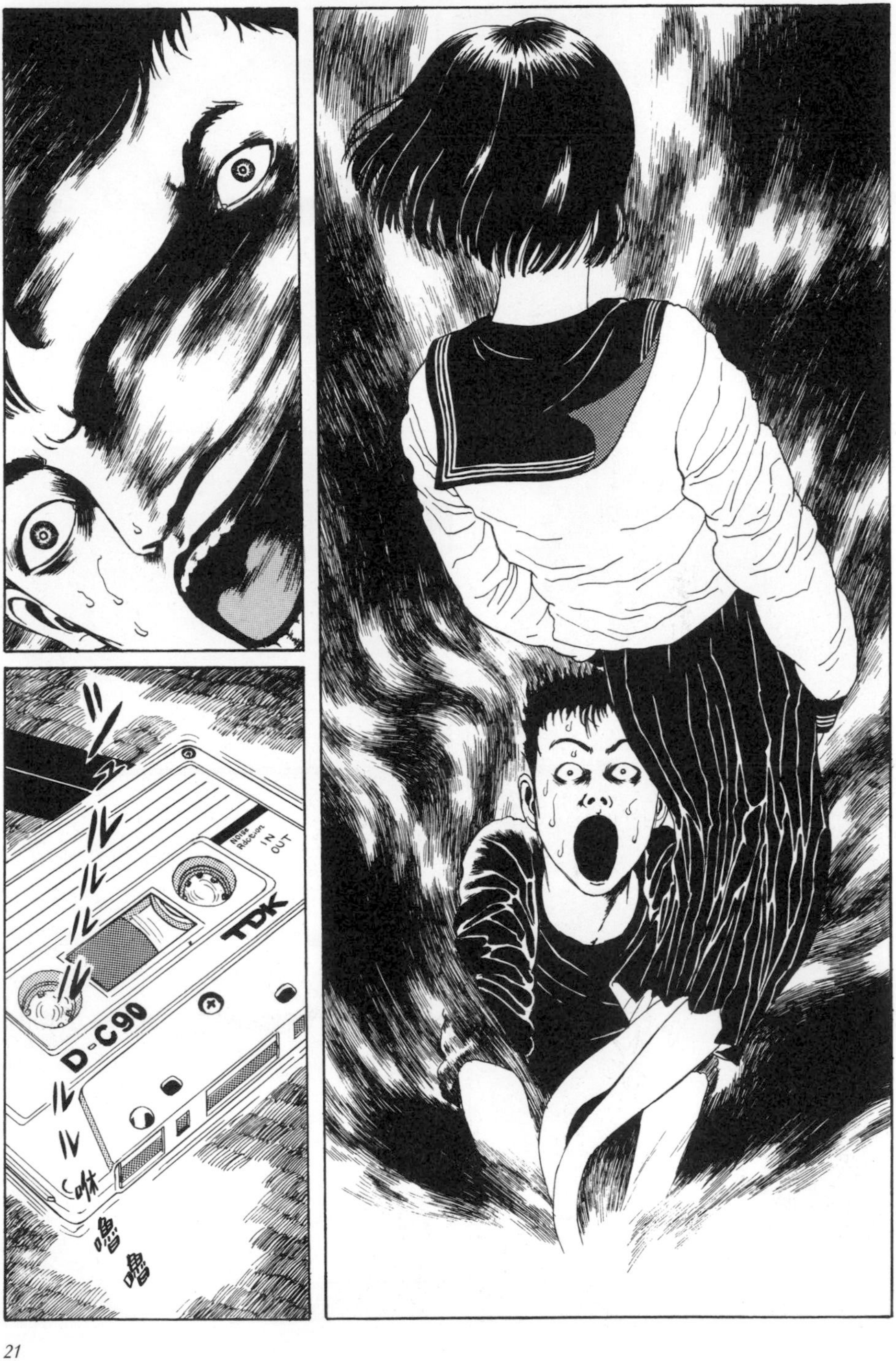
ジュルルルルルルル
咻
嚕嚕
TDK
D-C90
Noise Reduction
IN
OUT

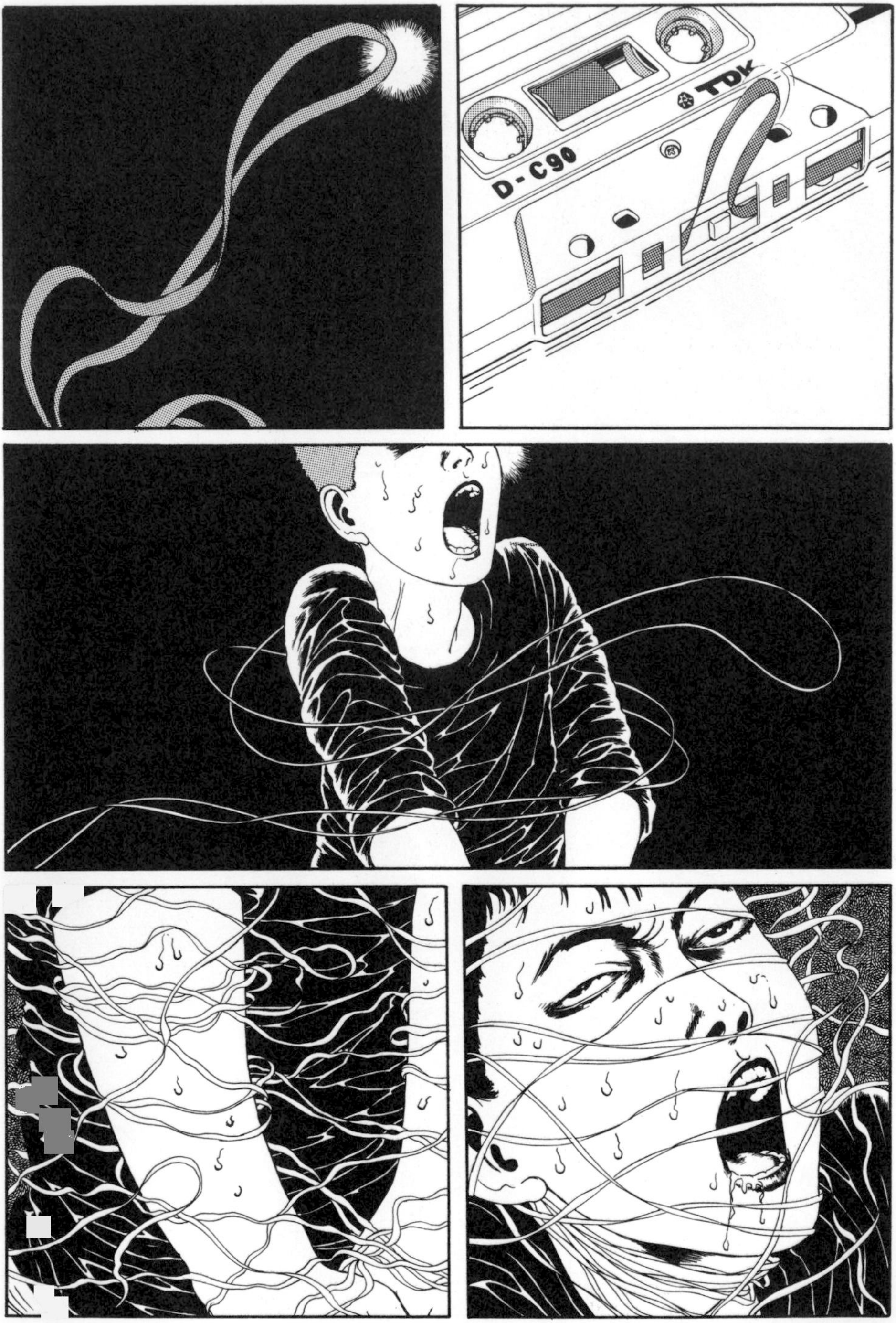
TDK
D-C90

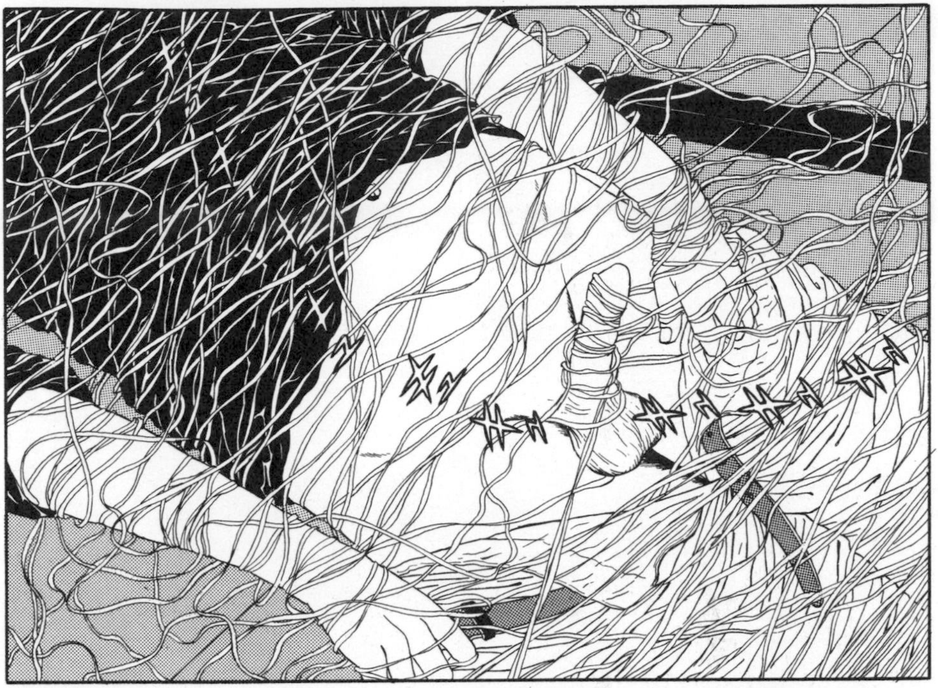
ギシ ギシ ギシ ギシ ギシ

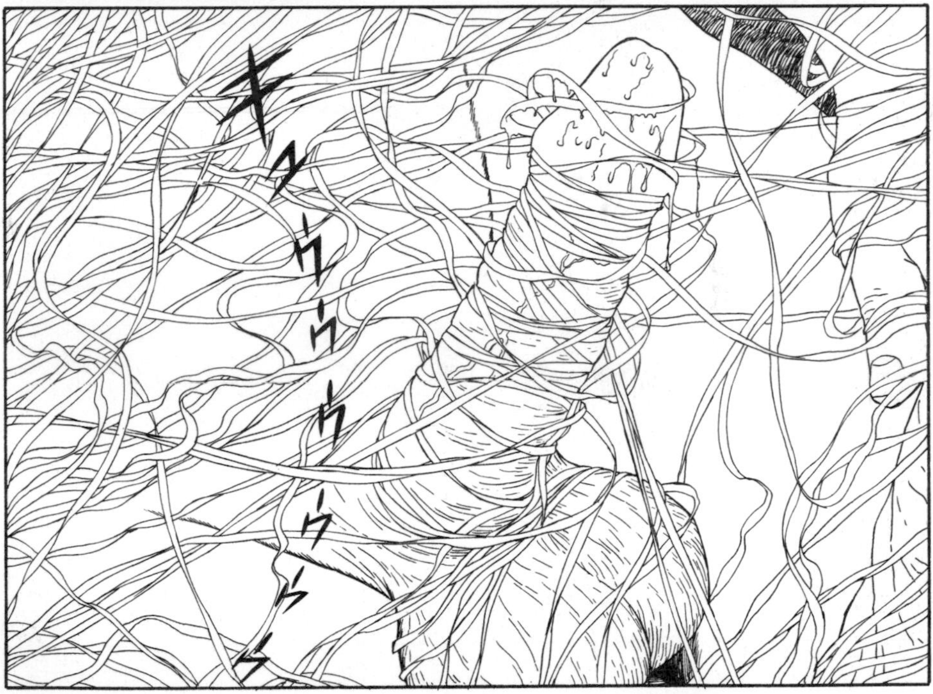
キュウウウウゥゥ

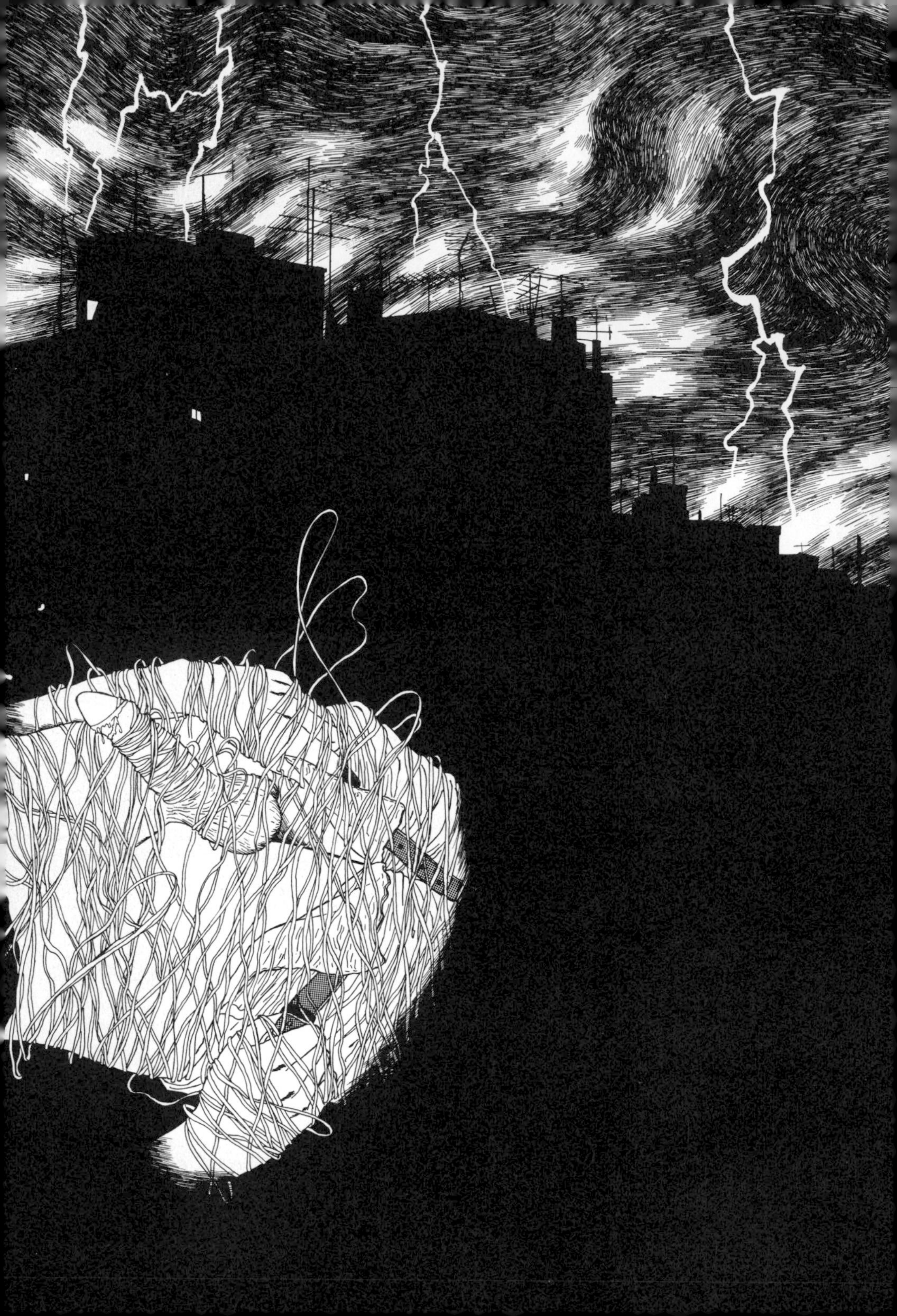

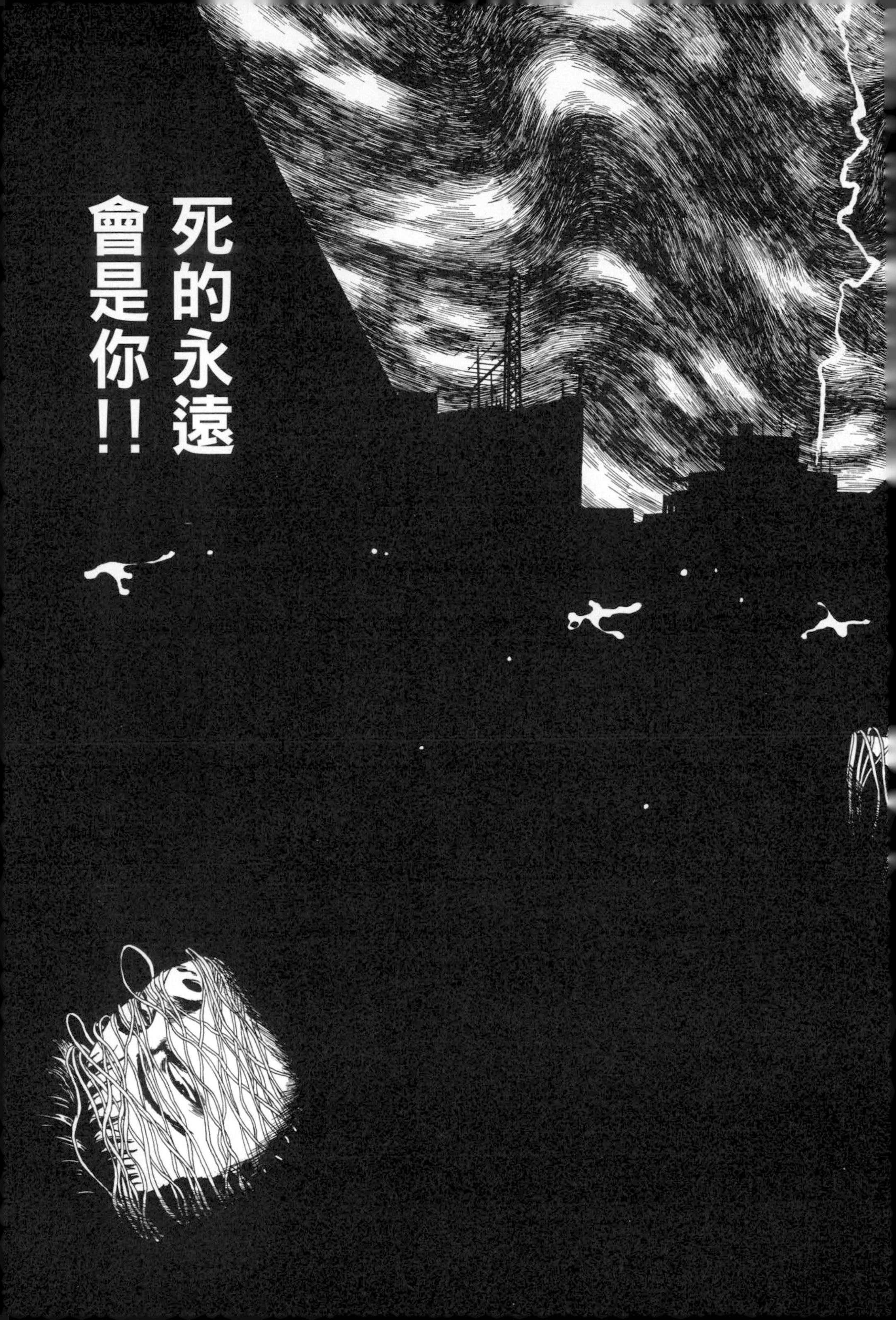
死的永遠
會是你!!

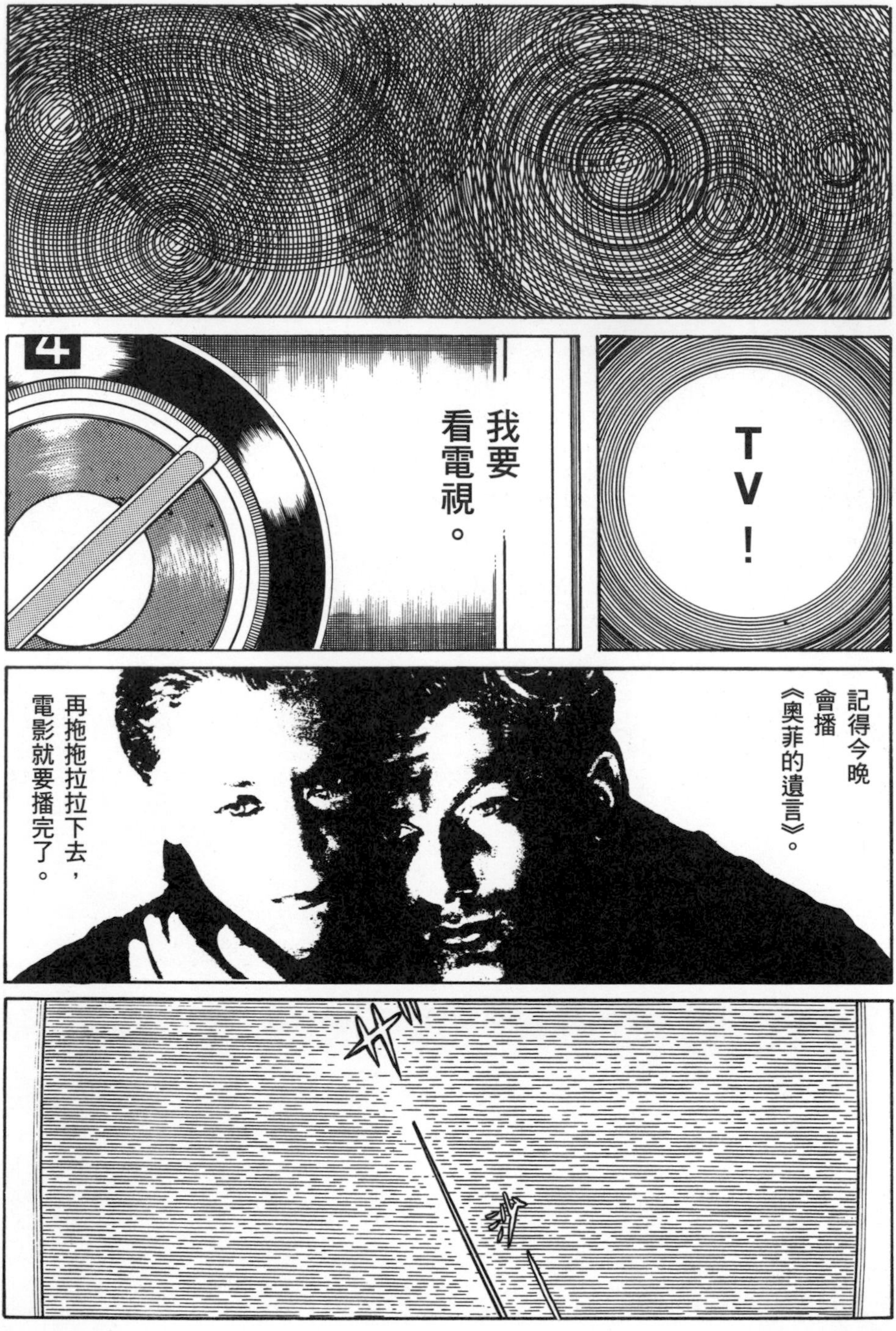
4
我要看電視。
TV！
記得今晚會播《奧菲的遺言》。
再拖拖拉拉下去，電影就要播完了。

哇——哈哈哈哈哈!!!
呀——哈哈哈哈!!

你是個蠢蛋!!
遲緩的傢伙!!
老是趕不上
時間!!
你什麼都不
會做，什麼
都不想做!!
只想要SEX。
你討厭人類！
喜歡機械!!
你想變成
機械對吧!?

哇—哈哈哈
嘿嘿嘿
嘻嘻嘻

您好啊!!
新人類。

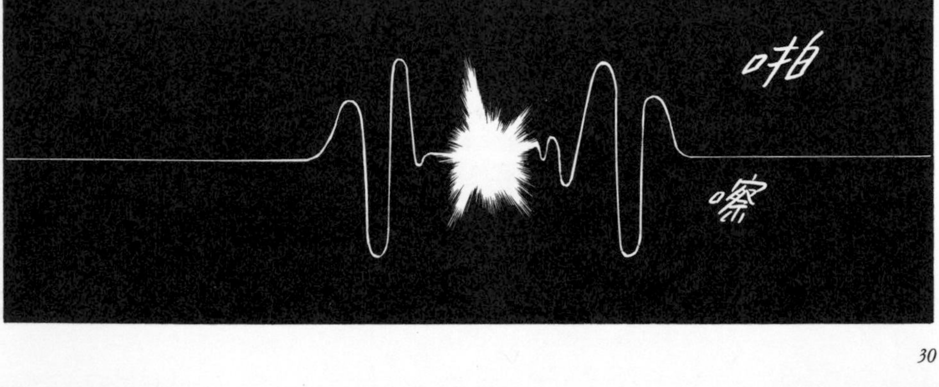
啪
嚓

真難喝!!
呸
怎麼這麼難喝啊!!
我還寧可喝汗水或重油。
嘰
嘰

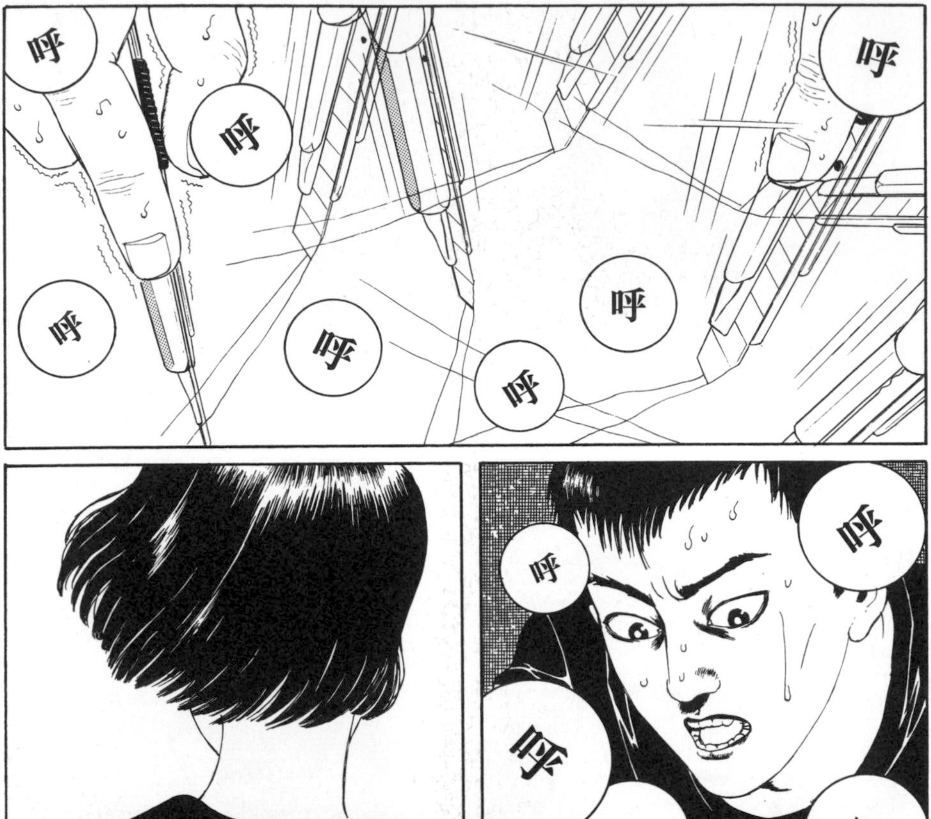
呼
呼
呼
呼
呼
呼
呼
呼
呼
呼
呼
呼
呼

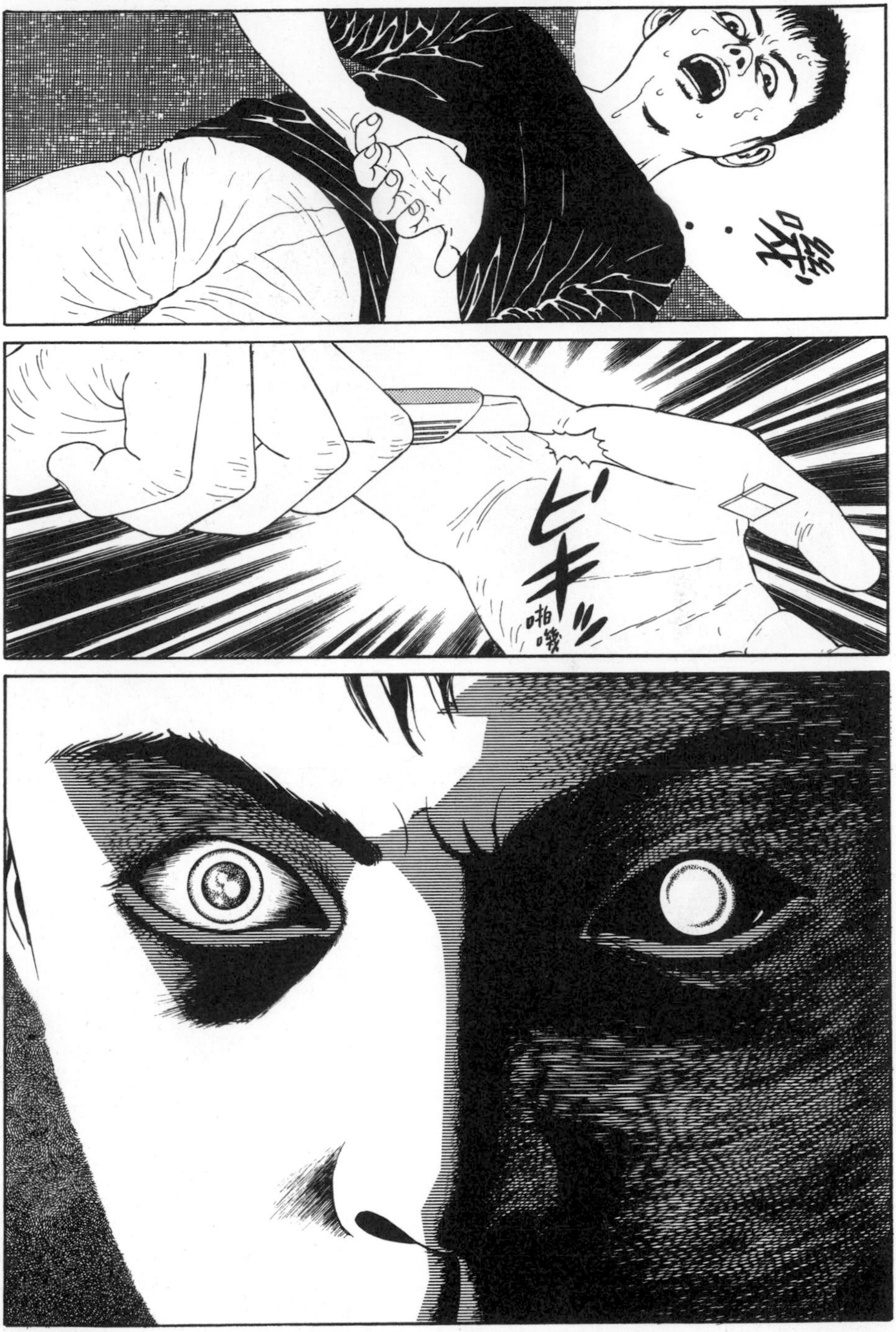

嘰、
ビキッ
啪嘰

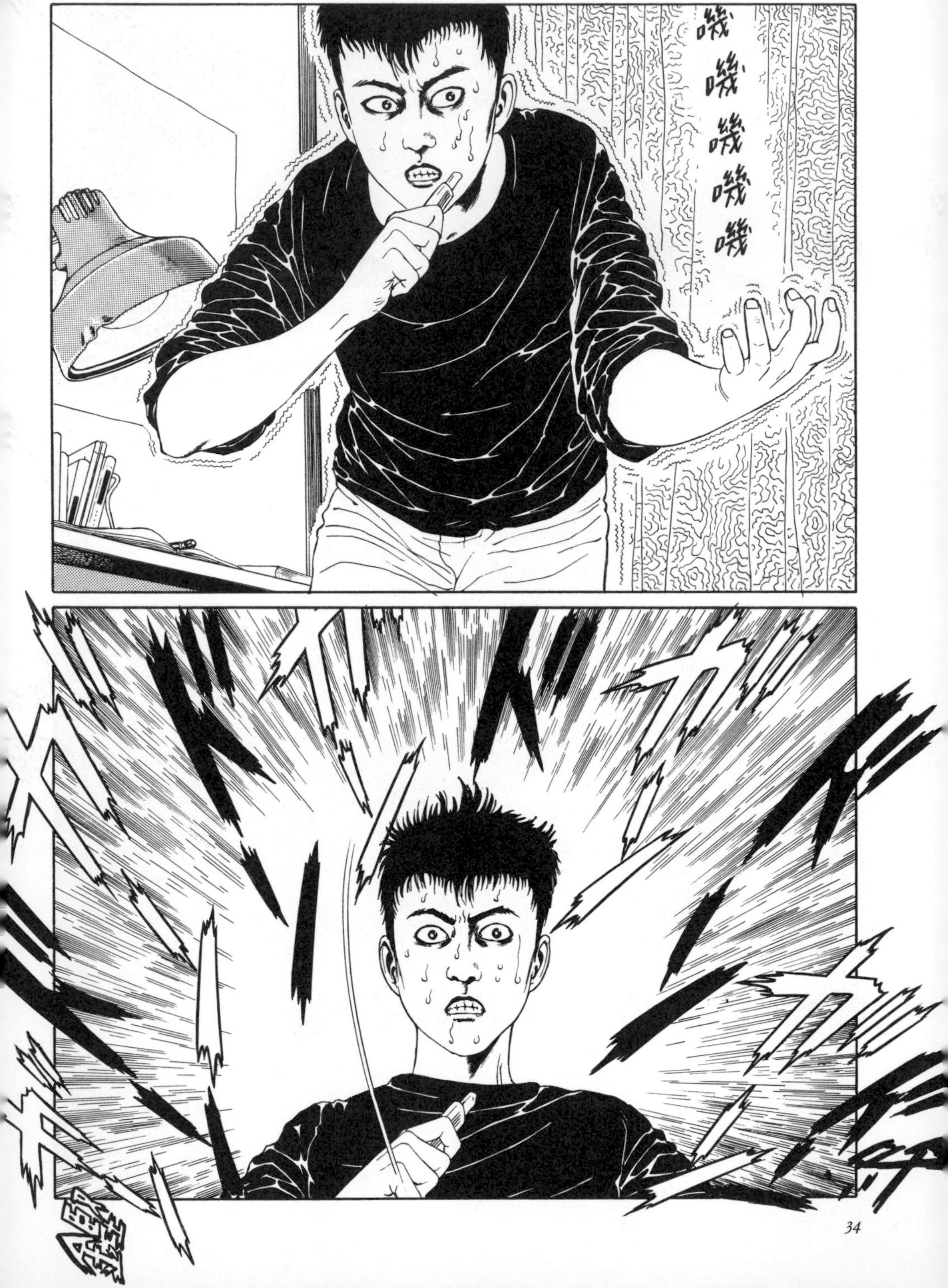
嘰嘰嘰嘰嘰

鏗
嘰……
嘰嘰……
鏗
嘰……
鏗
嘩

ぎーヤっ!
呀
グニャ軟

我的心臟發出金屬音
不鏽鋼之花
緩緩張開
銀色花瓣的畫面映入眼簾。

電氣蟻／完

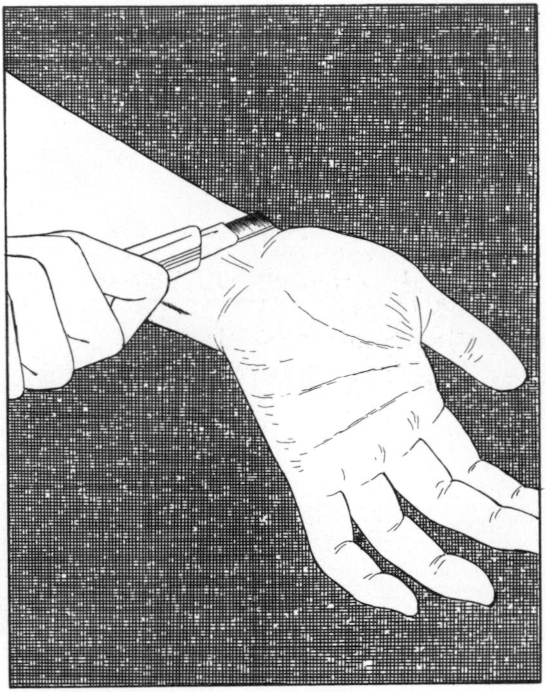

死啊，萬歲！

遠藤!!
遠藤!!
PD 29

遠藤!!
到處都找不到他!
那個混蛋!!陣前逃亡是在搞屁啊!!
向本部報告吧，關他禁閉!
吊死他!!

道郎啊，
昨晚我夢到你了。
我把你最喜歡的
萩餅供奉在佛壇，
祈禱你平安無事、
立下戰功。
你從小就喜歡玩裝死的遊戲，
因此我很擔心你
會不會已經死了。
我就只掛念這麼一件事。
——母親上——
大日本國防婦
那段日子真美好呢。
在福島縣，
大家稱讚我是
全校第一秀才，
老師好像也拍過
我的肩膀說：
福島縣遲早要
出總理大臣了
……

遠藤!!
冒出
ひろみ
憲兵
你想回福島吧？
我馬上讓你回去，會先把你裝進白木棺就是了。
遠藤，我告訴你一個好消息吧。
前天凌晨，福島一帶受到美軍總攻擊，全軍覆沒了。死者3萬6千，下落不明者7千8百。

聽說啊，你母親快被美軍士兵侵犯時咬舌自盡了。
多麼合乎日本女性風範，多麼了不起的末路啊——
你這廢物，不覺得愧對死去的母親嗎!!
砰
我最痛恨的就是不孝子啦!!

譯註1〈仰望師恩〉歌詞。遠藤道郎所屬樂團 The Stalin 曾翻唱。

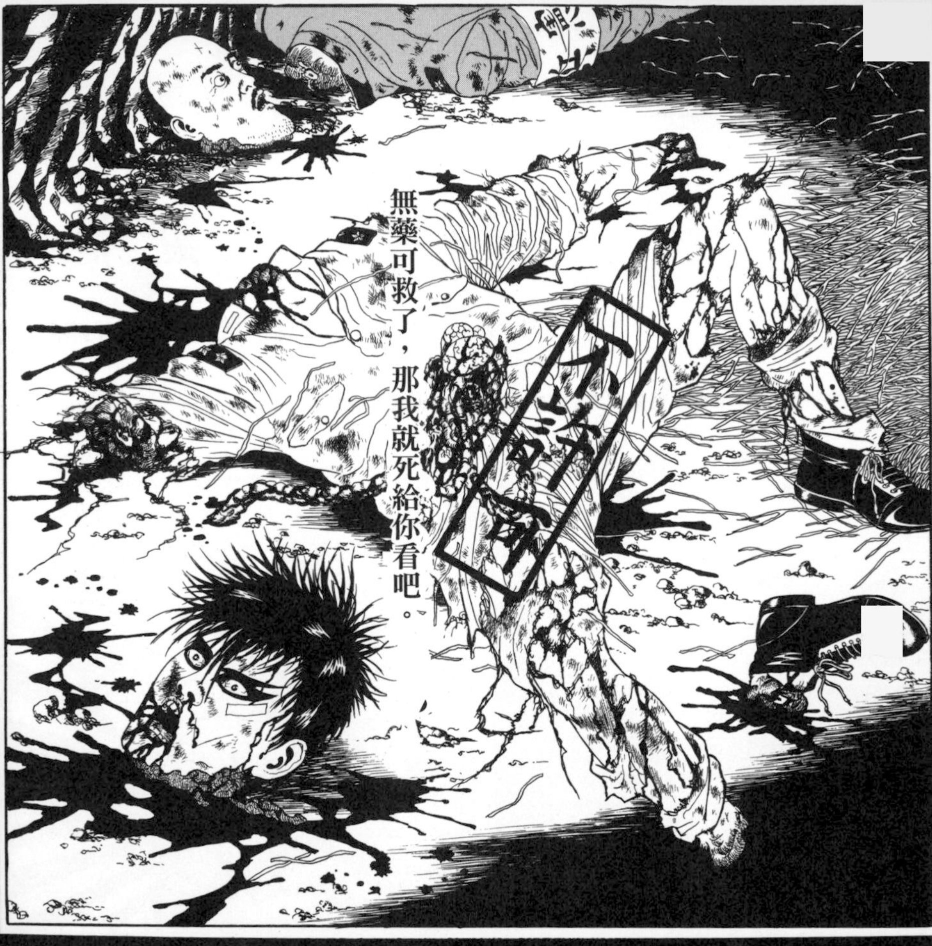

死啊，萬歲！／完

農林一号
のうりんいちごう
你們這些傢伙的力比多，我要全部騙走喔!!

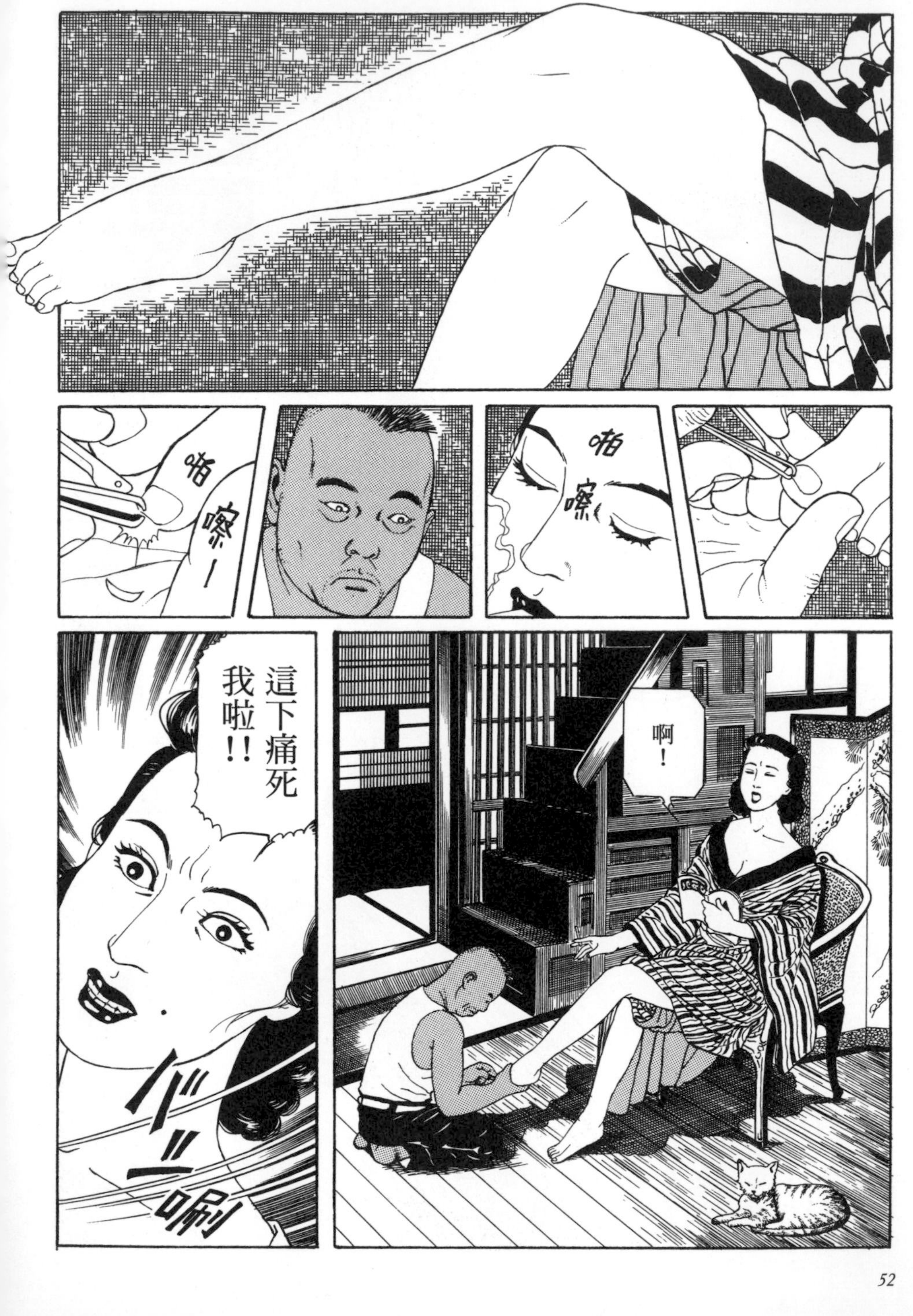
啪嚓ー
啪嚓
這下痛死
我啦!!
啊!
唰

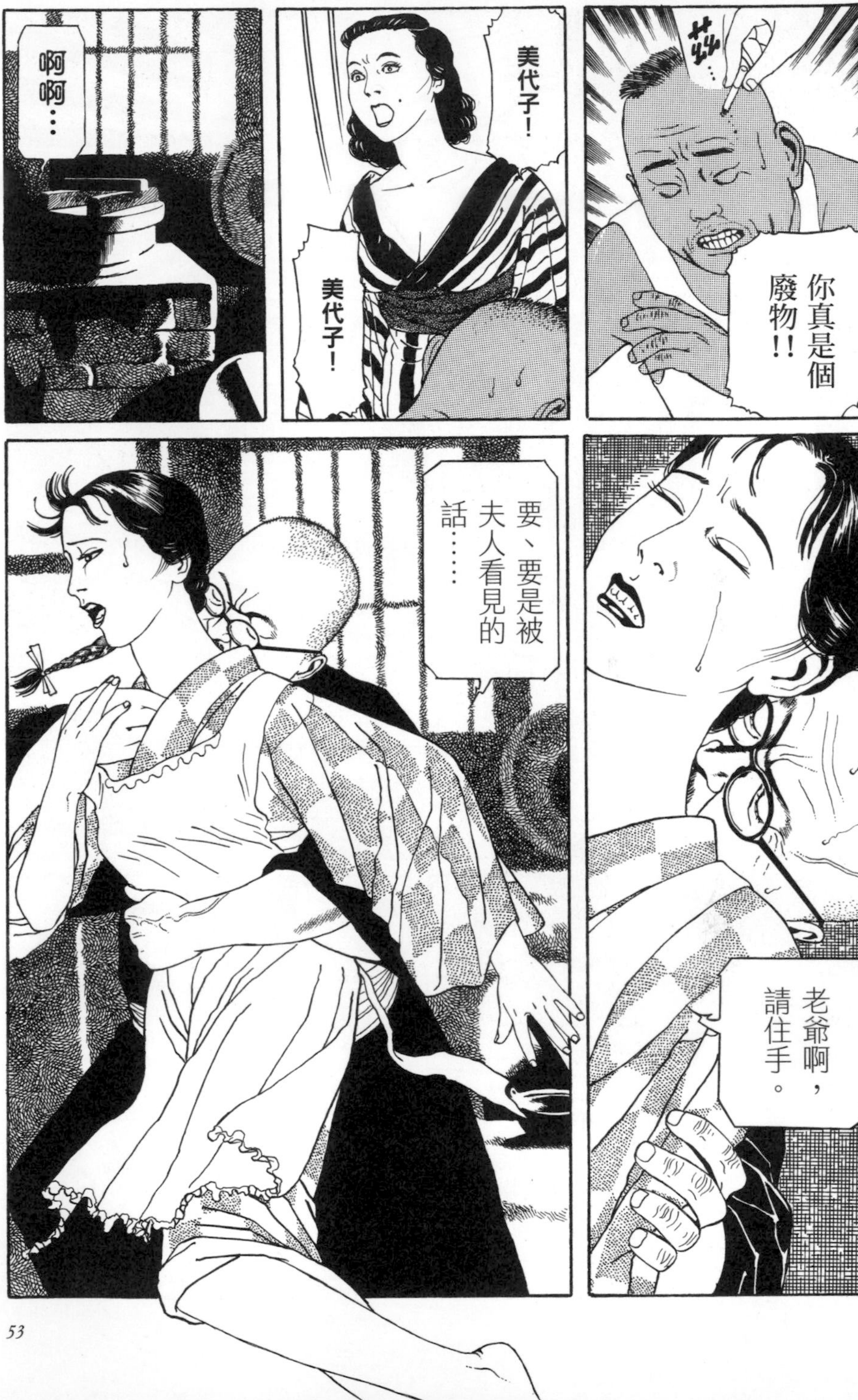
茲……
你真是個廢物!!
美代子!
美代子!
啊啊……
老爺啊,請住手。
要、要是被夫人看見的話……

啪ー
啪ー
區區一個村姑還敢造次。
妳這賊頭賊腦的貓!!
啊啊!!
夫人，饒了我吧！
老公!!
明明打輸了戰爭，還敢搞這種事啊。

留什麼鬍子，跩屁啊。
你這喪家犬!!
ビビビビビビ—
劈啪
性無能!!
廢物！
バッ
唰
你對我這身體有什麼不滿！
你以為你尊貴到可以挑三揀四嗎！
ド—
咚
夾
都是因為你們的緣故，我們才被迫一直吃芋頭啊!!
你這農林一號!!
噹—
喝我的尿吧!!
嘩啦—

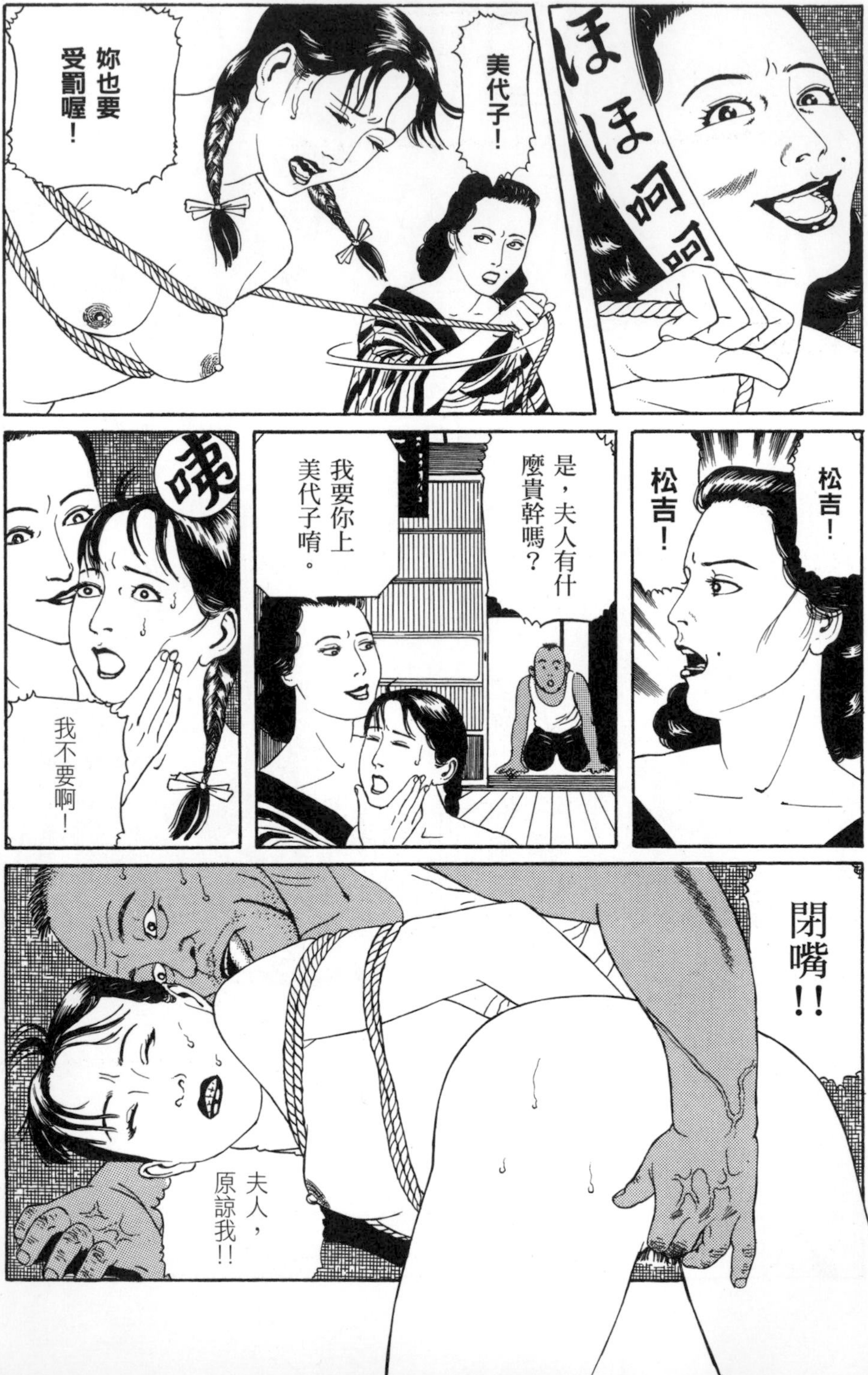
ほほ呵呵
美代子！
妳也要受罰喔！
松吉！
松吉！
是，夫人有什麼貴幹嗎？
我要你上美代子唷。
咦
我不要啊！
閉嘴!!
夫人，原諒我!!

為了不讓你重蹈覆轍——
我要把你塞進我裡面。
壓ー
啊啊，進來了！進來了！
ギギギギギギギギ
哇ー！
進來了呀！
農林一號進來了呀!!
ピク
抖抖
抖抖

農林一號／完

純愛怪氣漫畫
へび少年
蛇少年
丸尾末広
智惠子，我好喜歡妳，喜歡到想吃了妳呢。
一夫，你這陣子怪怪的啊。

高中三年級生──
一夫，你的氣色很差耶。
只要想著智惠子，我全身上下都會長出鱗片呀。
討厭~~~~好噁心喔~~~!!
我想吃智惠子的大腿~~~~!!
呀!!

呀啊
啊!!
智惠子
啊啊啊!!
ぎゃあ
呀啊

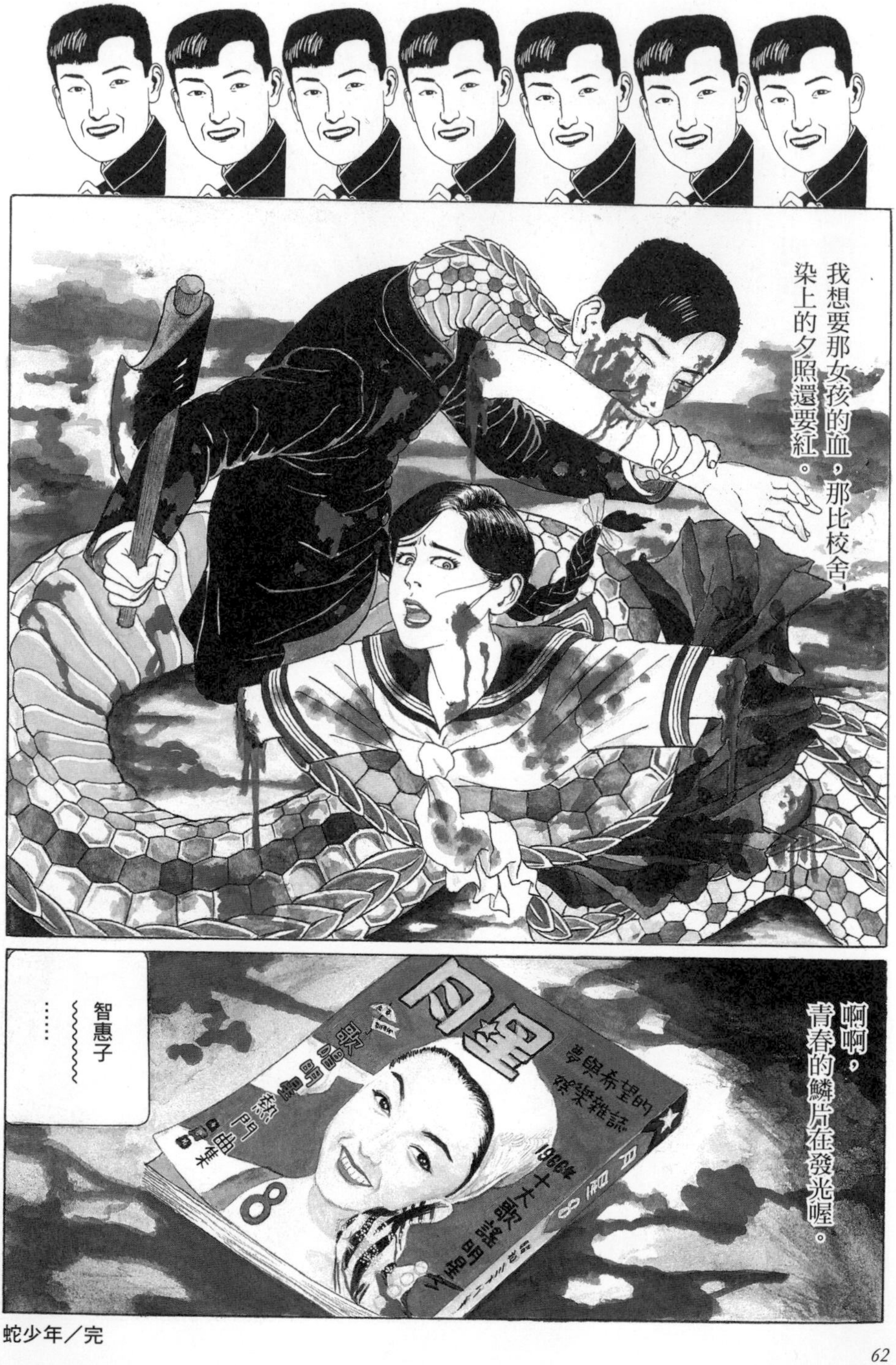
我想要那女孩的血，那比校舍
染上的夕照還要紅。
啊啊，
青春的鱗片在發光喔。
智惠子～～～……

蛇少年／完

蛇苺

バタ噠噠
趕快回家吧。
バタ
噠噠
山口同學。

我有兩張電影票，
這禮拜日要不要一起去看電影？
哇，真開心。我一定會去的。
那我等妳喔。
沙
哇
呀啊
痛
好痛～
於是到了隔天。

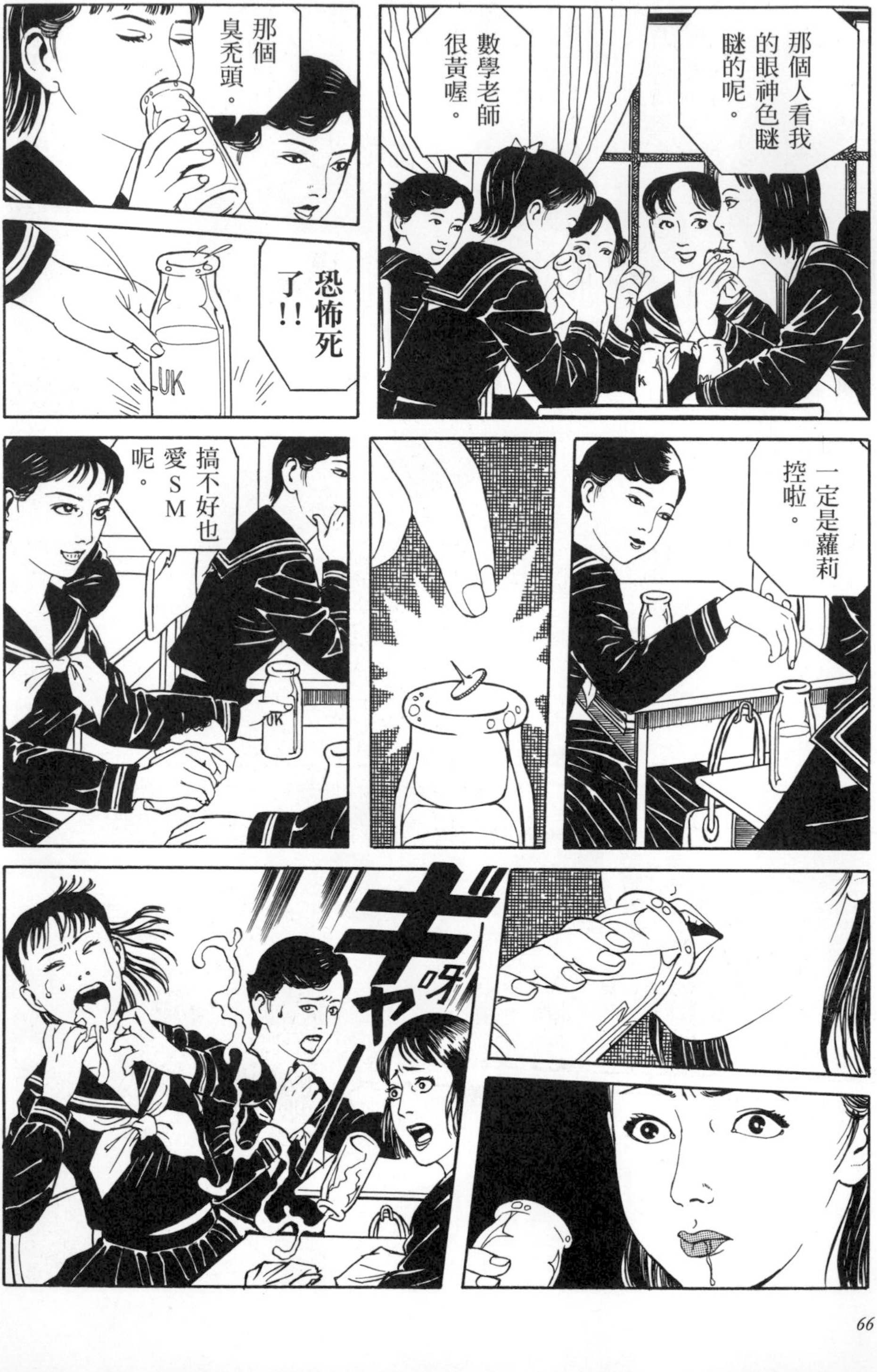
那個人看我的眼神色瞇瞇的呢。
數學老師很黃喔。
那個臭禿頭。
恐怖死了!!
一定是蘿莉控啦。
搞不好也愛ＳＭ呢。
ギャ
呀

妳怎麼啦!?
ヒ 嘶
振作啊~~!!
ゲ 噁
ゲゲゲゲ
有東西混進牛奶裡了是吧!!
我去叫老師來!
老師!!
老師!
不得了了!!
噁
ゲ 嘔

The power of Christ!

壓
呀啊
你做什麼!!
住手啦!!
怎麼了嗎!?
痴漢?
聽說是痴漢喔。
咦
大受打擊

女子更衣室
太過份了呀!!
我的也被割了。
我的也是。
到底是誰做出這種事!!
啊
錢包不見了!!
不見了呀!
被偷了吧!!
什麼樣的錢包?
米老鼠的啊。
欺人太甚呀!!

我可以給妳一些些錢喔。
謝謝妳，不過不用了。
最近有很多惡劣的惡作劇呢。
會是同一個人做的嗎？
統一教会
大法師
救世教
啦啦啦！
我要買這個。
嘰ー
收您八千元。

蛇莓1／完

蛇苺
2
NORTHWEST

バカ・アホ・マヌケ
ダンテ神曲解説
イスラム史
ボッ
轟

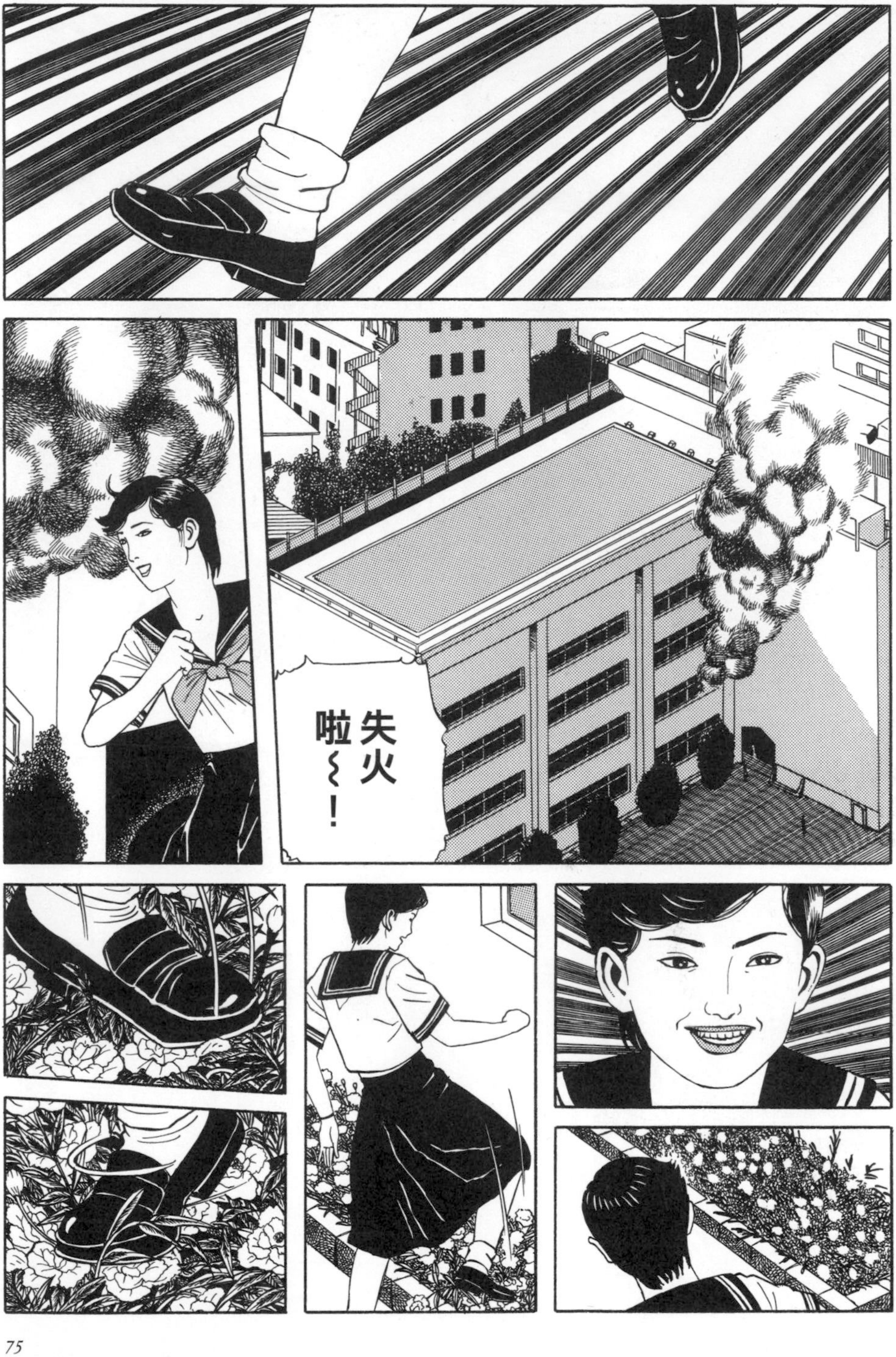
失火啦～！

グググググ咕嗜咕
隔天
圖書室起火是極為不自然的狀況，
警察也在追查原因——
不過有些男同學，會在裡頭偷偷抽菸。

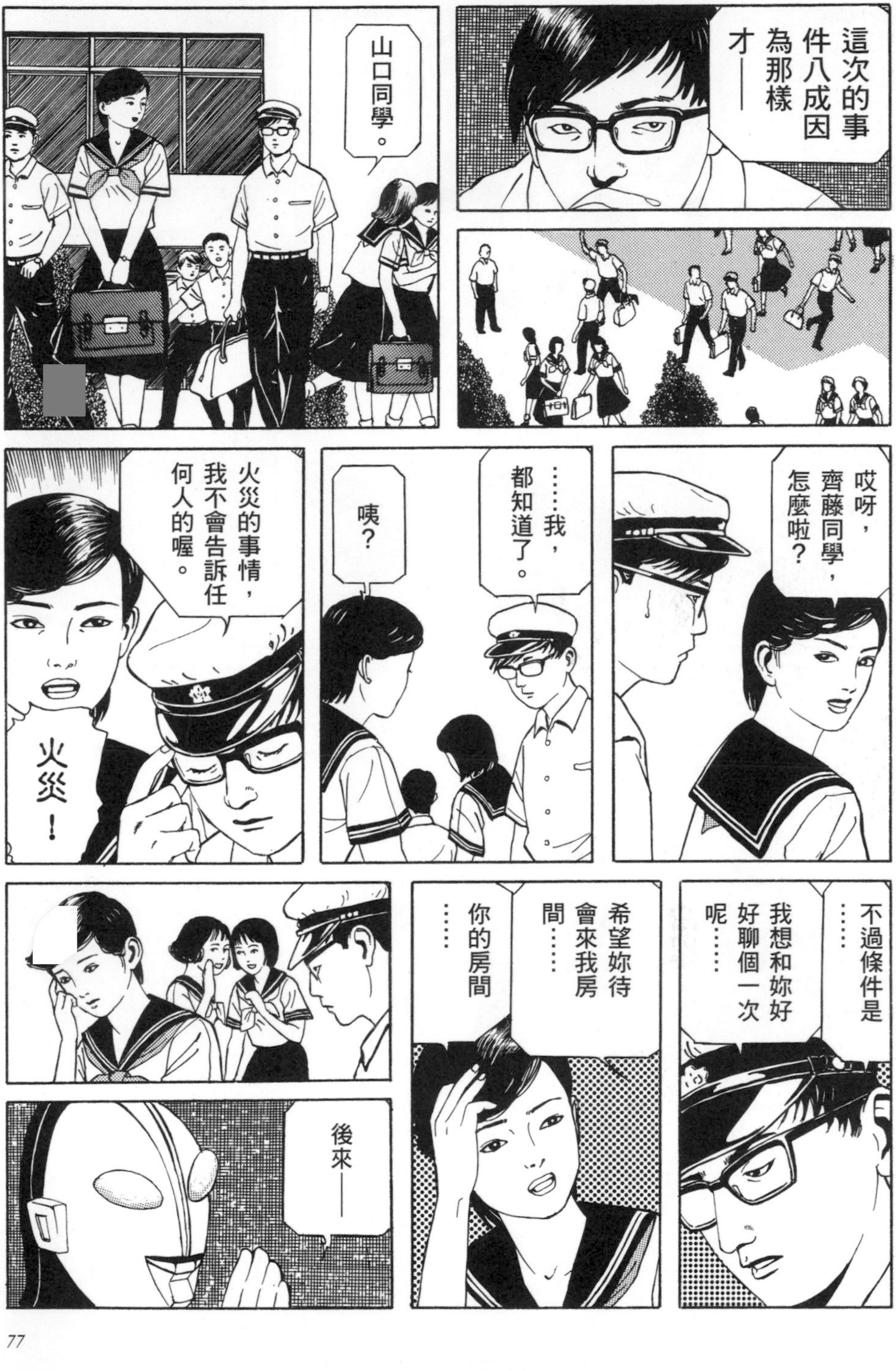
這次的事件八成因為那樣才──
山口同學。
哎呀，齊藤同學，怎麼啦？
……我，都知道了。
咦？
火災的事情，我不會告訴任何人的喔。
火災！
不過條件是……
我想和妳好好聊個一次呢……
希望妳待會來我房間……
你的房間……
後來──

ズズズ
窣窣…
山口同學……
啊
你、你要做什麼!!
住手啊!!
妳也是懷著同樣的打算過來的吧。
別說那麼奇怪的話!
ドーン
咚

妳就是縱火犯這件事如果穿幫……
我完全聽不懂你在說什麼呀！
妳明明看起來很正經，真是不可貌相耶。
啊啊……
呀啊啊啊啊救命!!
誰來救救我啊
誰來救救我啊～～～!!

ドド
咚
ドド
咚
竟然對山口出手，你還早了十年咧。
山口在圖書室縱火——
好了啦你!!
是你幹的吧！
ドドド
咚
山口怎麼可能那樣做！
你是第一個發現火災的人。
第一發現者就是犯人的例子可多了咧。
你這悶聲色狼!!
ギリ
嘎哩
嗚嘎!!

山口啊，妳這是天外飛來橫禍呢。
他說我在圖書室縱火喔。
絕對要讓齊藤那傢伙退學啦!!
太過份了!!
喂~~~!!
齊藤自殺囉!!
自殺!
昨晚在他家陽台……
果然是那傢伙嗎……

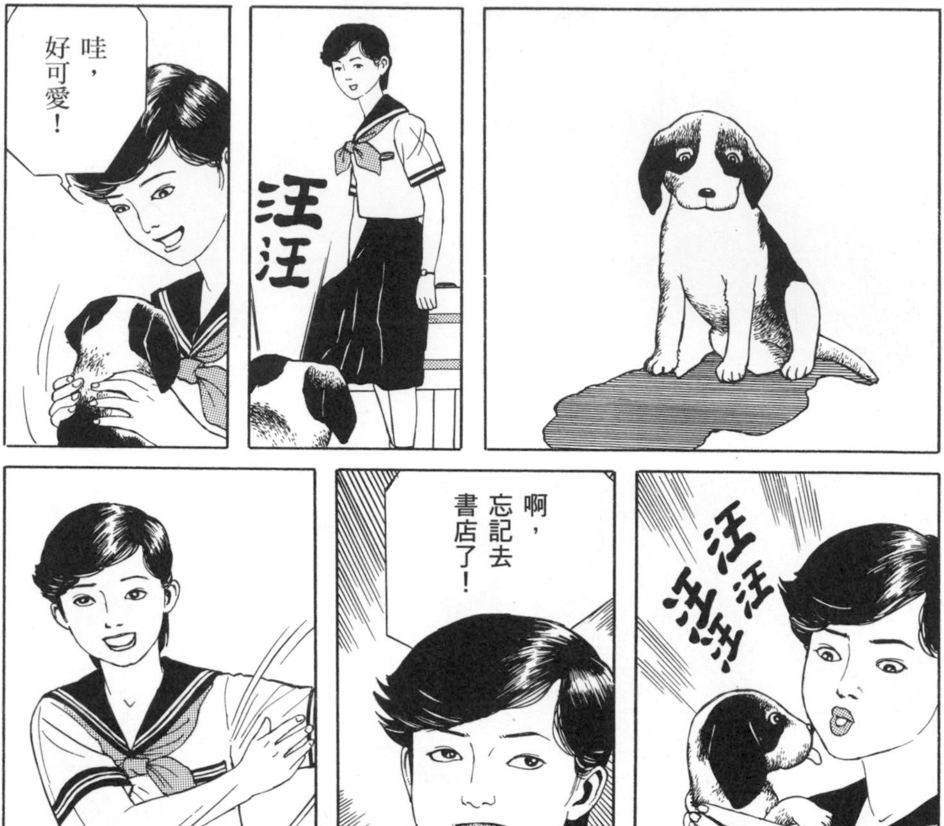
汪汪
哇，好可愛！
汪汪汪汪
啊，忘記去書店了！
咕喳
啦—啦啦啦啦—

蛇莓２／完

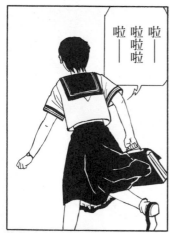

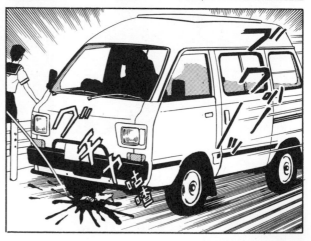

MOMOYO
3

啦—啦—啦—
ゴーン
叩
啊！
啪
老奶奶，妳怎麼了!?
沒事吧!!
唔～

山口同學～～～早安！
早安！
大家應該都已經知道了吧。
齊藤同學的葬禮會在禮拜六舉行。
所以呢，我想要班上大家一起包個白包。
金額不拘。

山口同學。
妳不該那麼害羞。
模特兒的姿勢得更端正才行。
不是的……
我是想去廁所……
老師，我也要去廁所！
我也要。
啪噠

好丟臉喔。
別在意別在意，
男生也去了嘛。
!?
好像有個怪味……
這是啥啊？
啊
好臭
啊……
啊……齊藤同學的桌子……
啊
啊

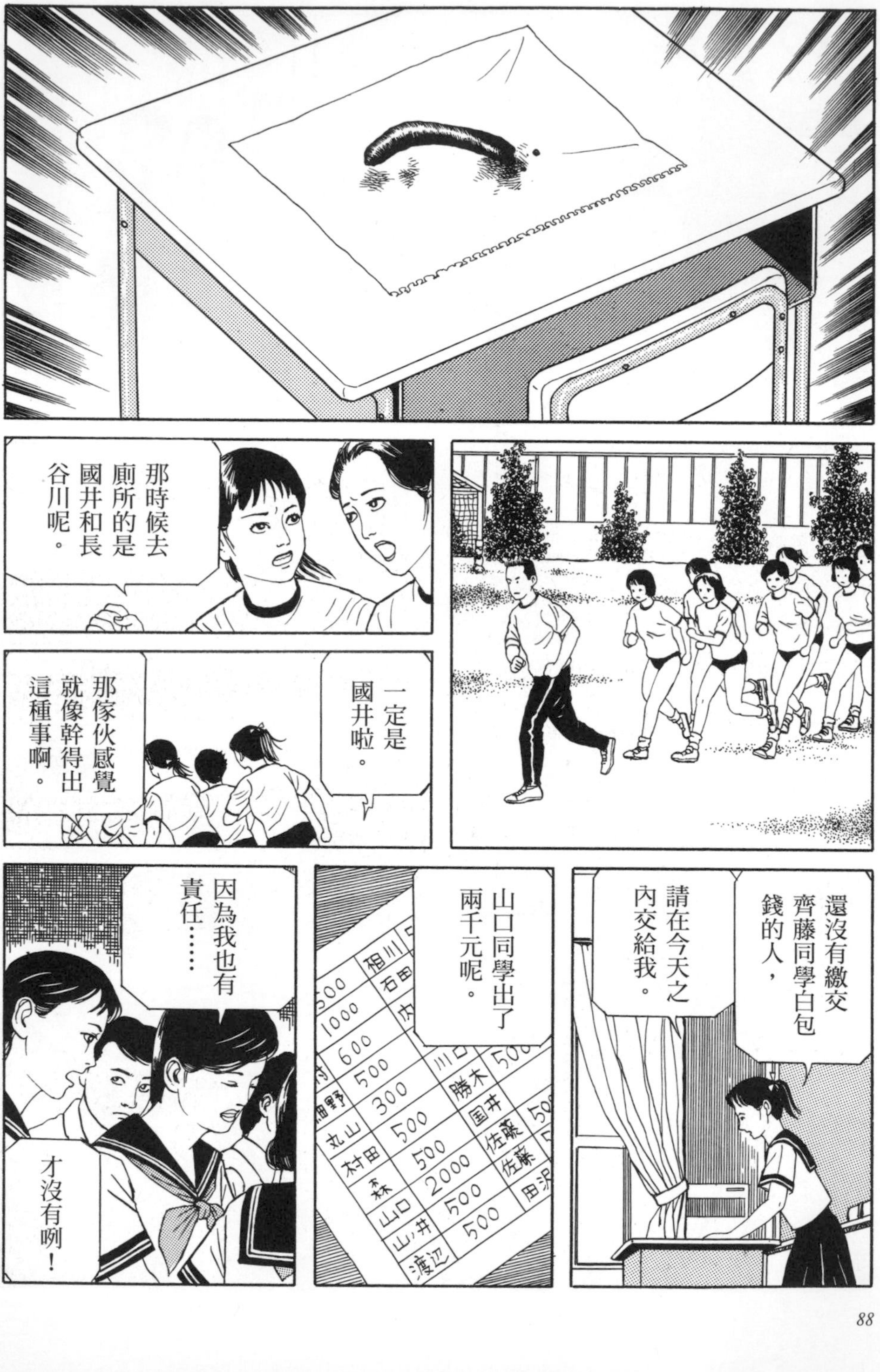
那時候去廁所的是國井和長谷川呢。
一定是國井啦。
那傢伙感覺就像幹得出這種事啊。
還沒有繳交齊藤同學白包錢的人，
請在今天之內交給我。
山口同學出了兩千元呢。
因為我也有責任……
才沒有咧！

只剩國井囉。
白包
2年B班
趕快交啦。
大家都交囉。
屎拉得出來，錢卻掏不出來喔？
什麼!!
你有種再說一次！
住手啦!!
叩

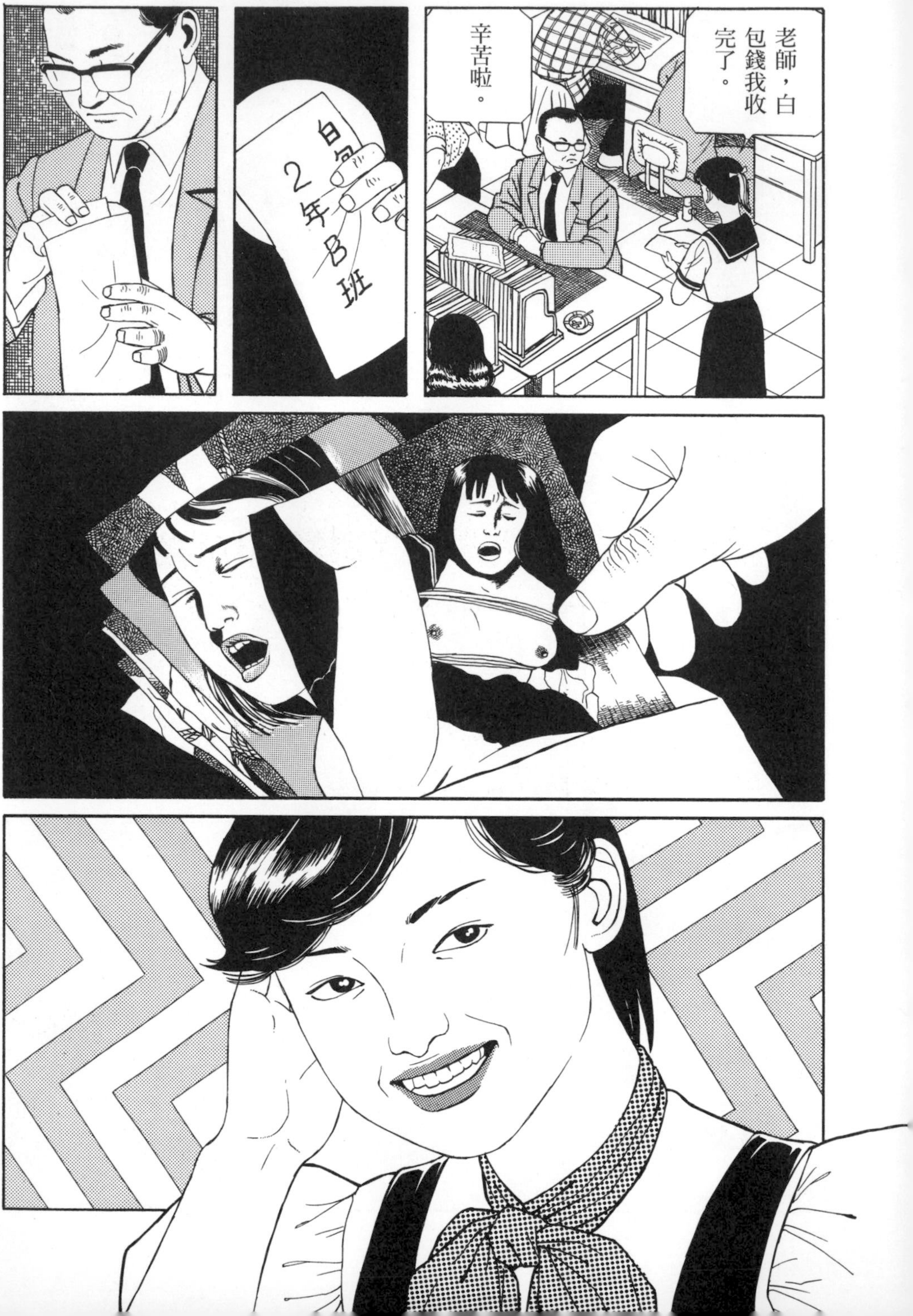
老師，白包錢我收完了。
辛苦啦。
2年B班

妳穿起來很適合喔。
我要買這件。
收您兩萬元。
阿美亞橫丁
啦——啦啦——
啦——啦啦——
唷！
是這樣的…我有兩張井上陽水的演唱會門票。
明天要不要一起去看呢？
真的啊！我最喜歡陽水了。

謝謝你。
那明天見。
咕喳
咕喳
說到我老公啊——
哎呀，是喔。
唰叩—
スコーン
啊啊～～～!!
呀—!
啦——啦啦——

高中三年級生

高校三年生

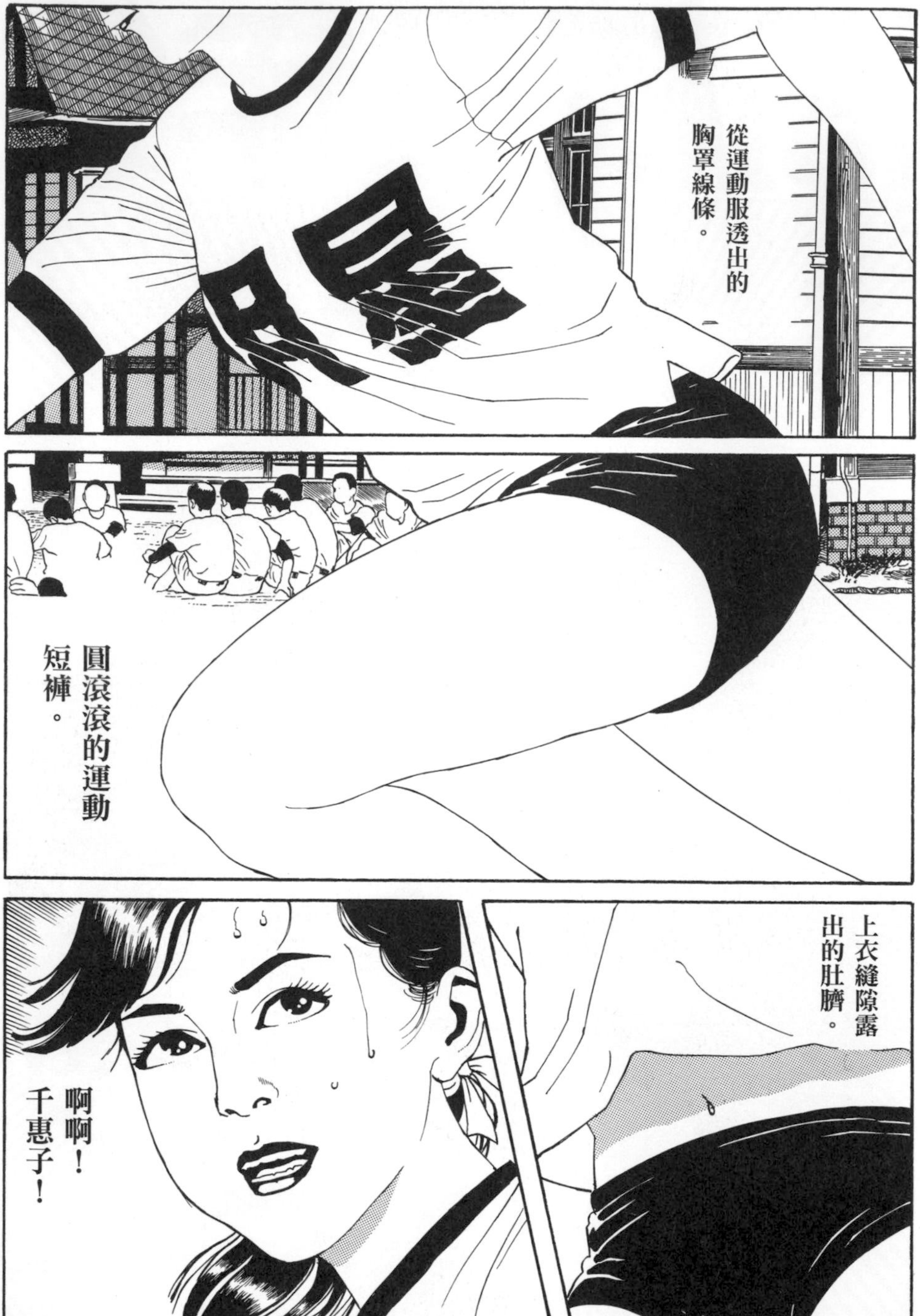
從運動服透出的
胸罩線條。
圓滾滾的運動
短褲。
上衣縫隙露
出的肚臍。
啊啊！
千惠子！

千惠子，來一下！
哎呀，舟木同學。
怎麼啦？
呃……
趕快說嘛，我正在練習呀。
不行啊，我果然說不出口！！
我要是說出口，一定會被千惠子討厭的！！

要是被千惠子討厭，我還寧願去死啊!!
高校時代
說不出口，我實在說不出口……
絕對無法告訴她，
我有兩根陰莖!!

討厭～竟然有兩根陰莖！
像蛇一樣!!
不要靠近我啊～
舟木同學，你一輩子無法結婚了呢。
不要啊。我想和千惠子結婚!!
長兩根陰莖有什麼不好!!
比陽痿的男人好多了不是嗎!!
因為……
因為……
有兩根陰莖的話——

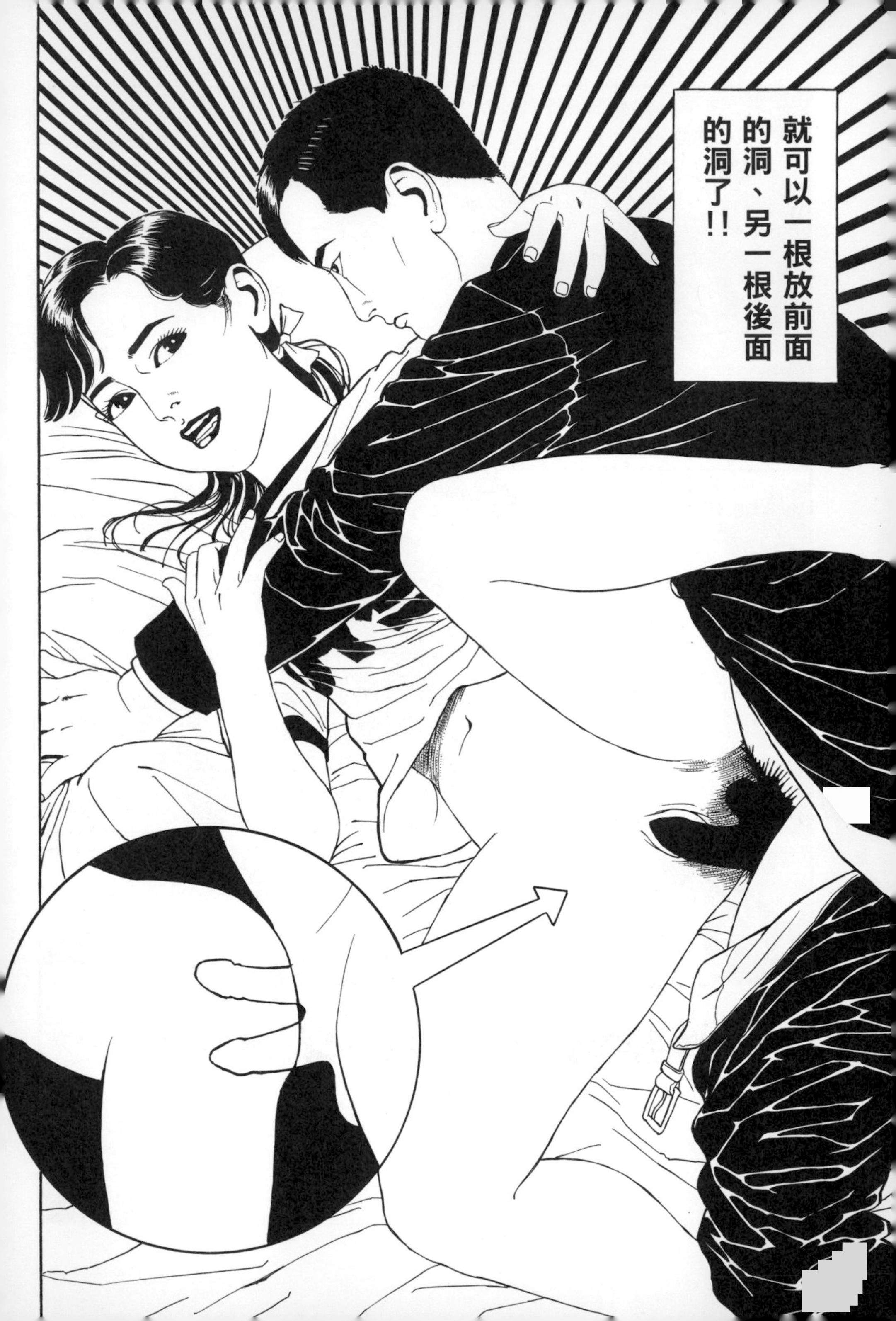
就可以一根放前面的洞、另一根後面的洞了!!

好厲害啊!!
舟木同學，好厲害!!
不行啊，這種事！
ドン
咚
為什麼要想這麼下流的事啊!!
我這蠢蛋！
我該如何好啊!!
哇啊——ん
千惠子。
加油！
加油！

什麼啊，又來了。
抱歉啊。
你今天要把話說清楚喔。
我什麼都願意聽。
千惠子應該會討厭身體有缺點的男人吧。
沒那回事呀。
有缺點的人比完美的人還棒喔。
首先，沒有誰是沒有缺點的呀。
活在世上的大家都有缺點喔。
舟木同學還算好了啦。
你沒什麼好苦惱的呀。

高中三年級生／完

少年画報

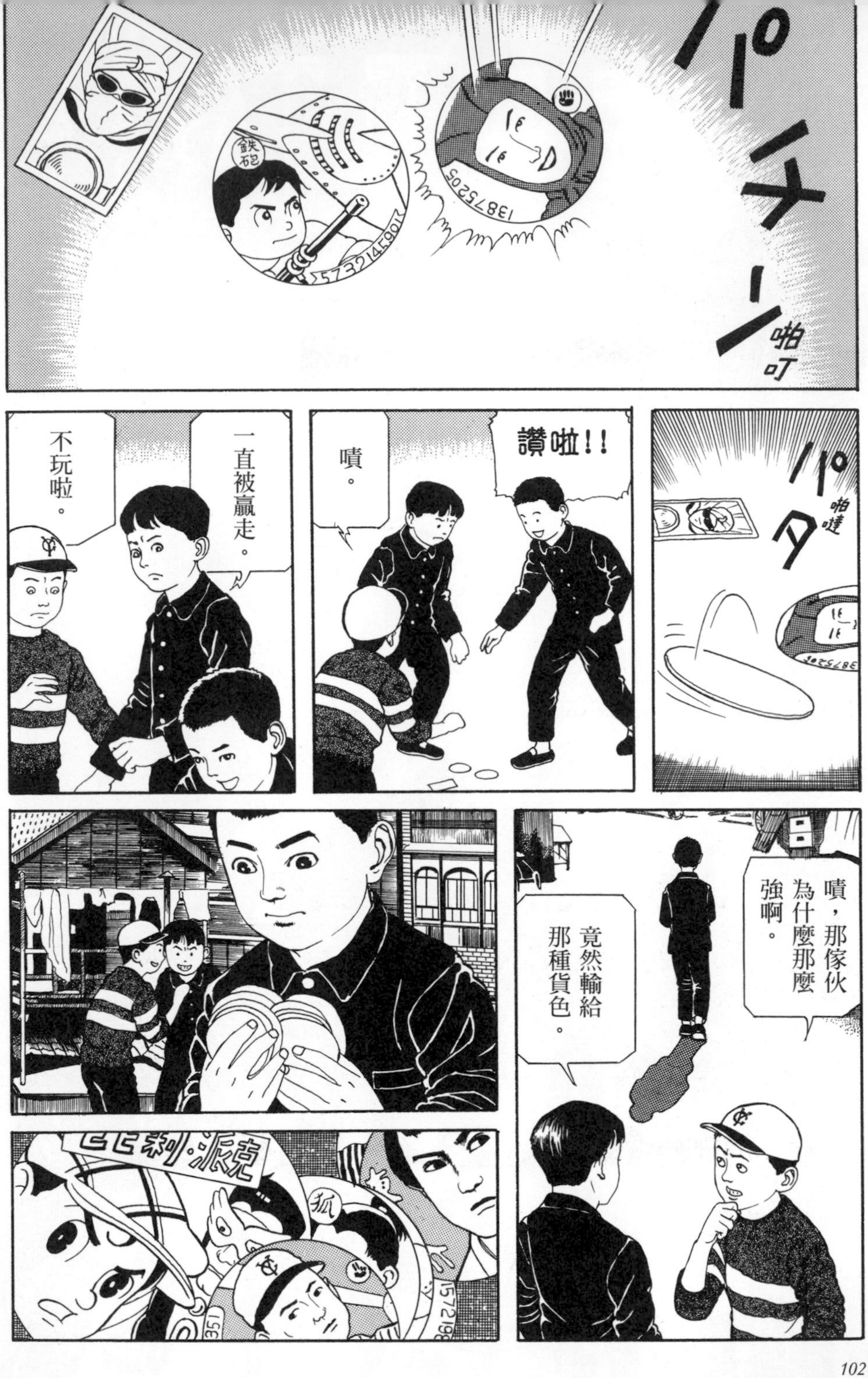
パチーン
啪叮
パタ
啪噠
讚啦!!
嘖。
一直被贏走。
不玩啦。
嘖，那傢伙為什麼那麼強啊。
竟然輸給那種貨色。
ピピ莉·派克

ブン
嗡
ブ
ブ
嗡
噠噠噠
噠噠噠
哈
哈
はは
はは
啊啊……
はは
哈
哈
有小偷啊!!

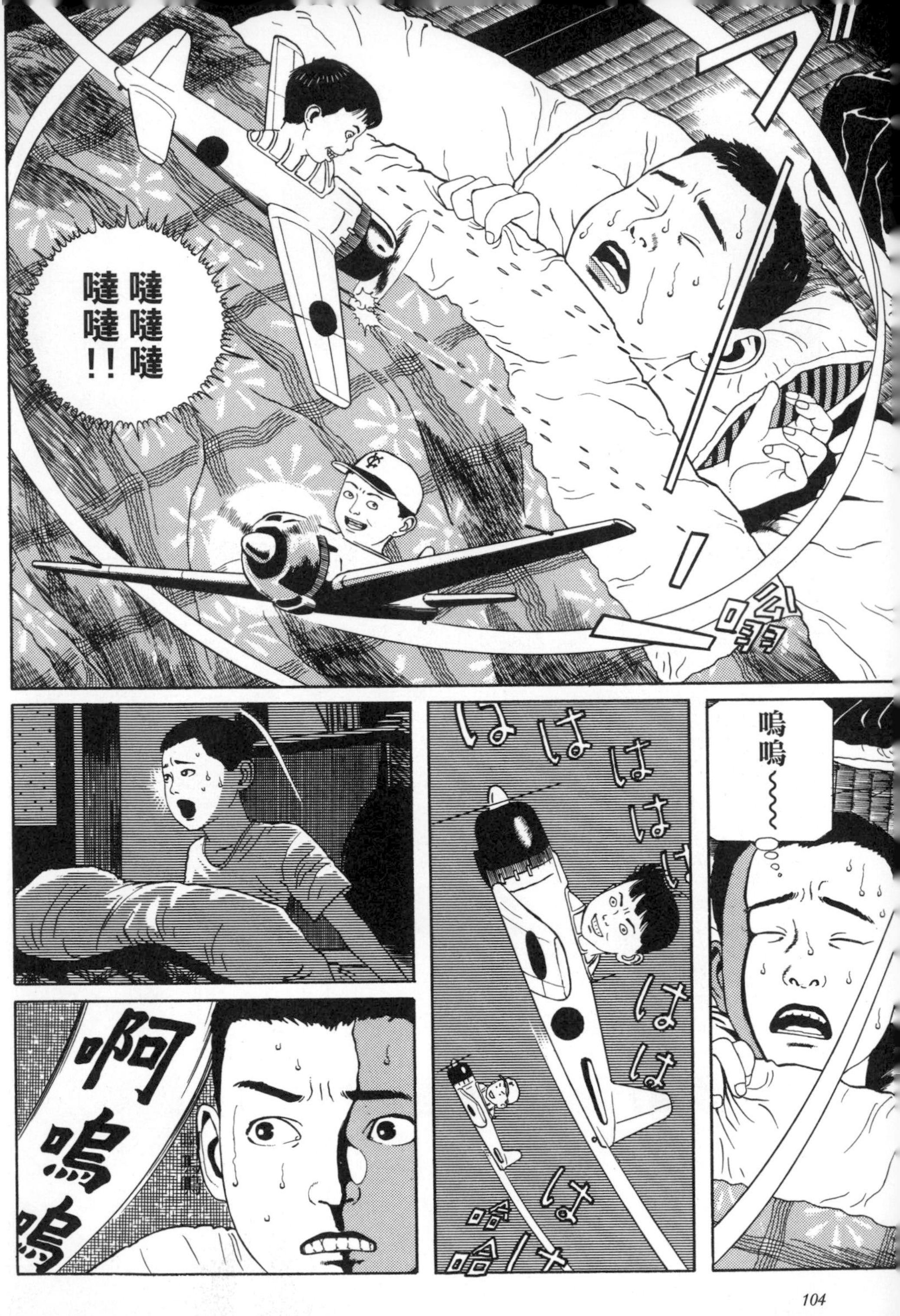
ブ
嗡
噠噠噠噠噠!!
嗚嗚~~~
ははははは
哈哈哈
啊嗚嗚

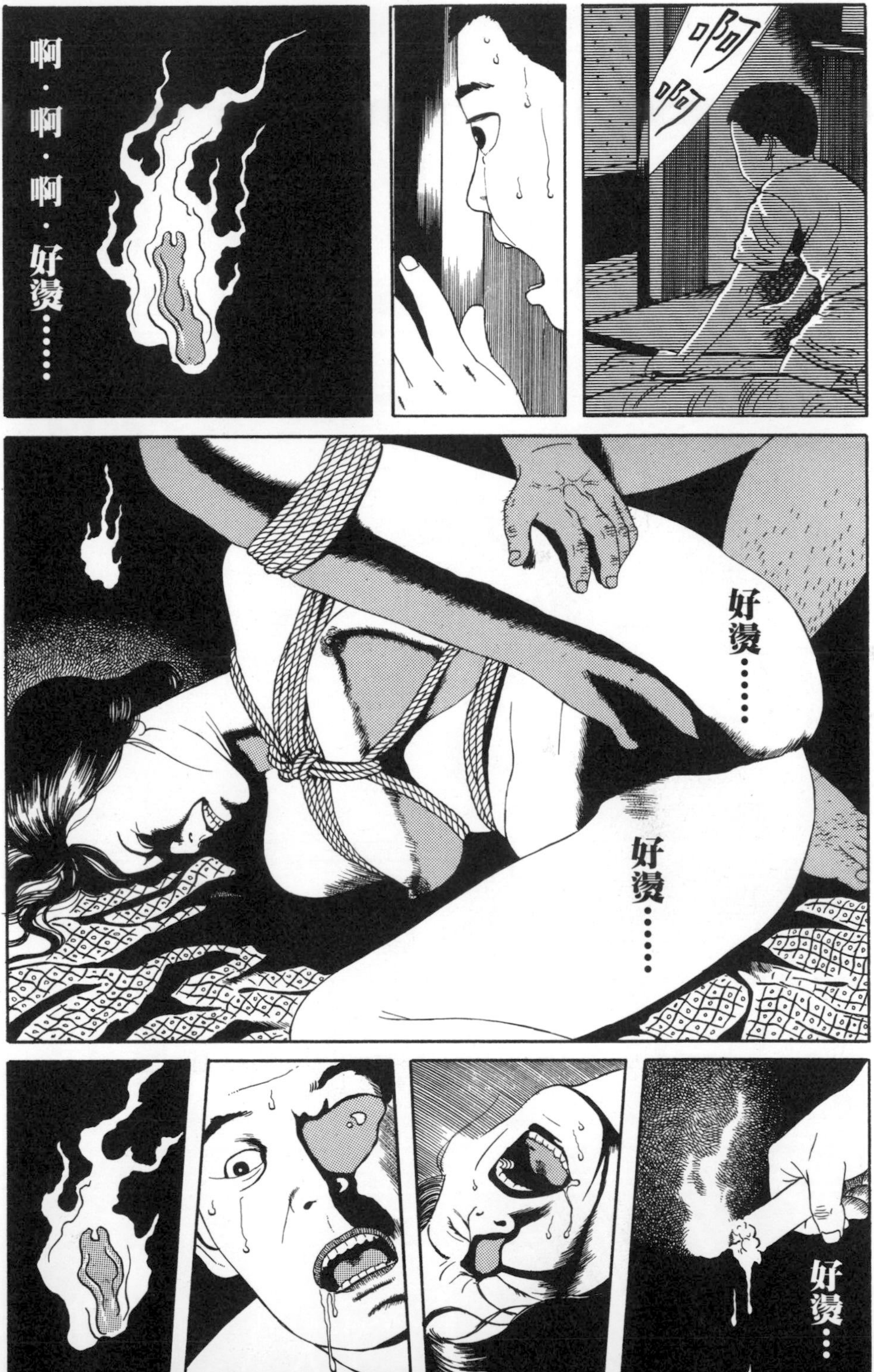
啊啊
啊・啊・啊・好燙……
好燙……
好燙……
好燙……

哇！

バタッ

啪。達

你看
見了呀啊

クル巨編

地獄

監督・中川信夫

録音・中井喜八郎

作者註：《地獄》中川信夫導演，天知茂主演的怪奇電影，昭和三十五年上映。

嗚呀——
啊——
あっ
ああああ
呀啊
ぎゃあっ
死ねっ死ね
死にさらせえ！
去死 去死 受死吧！

ギャア
呀啊阿
ヒ
キャ
町田大戲院
町田大戲院
謝謝光臨。
阿伯，你要丟掉那個嗎？
是啊。
可以給我嗎？
喔，可以啊！

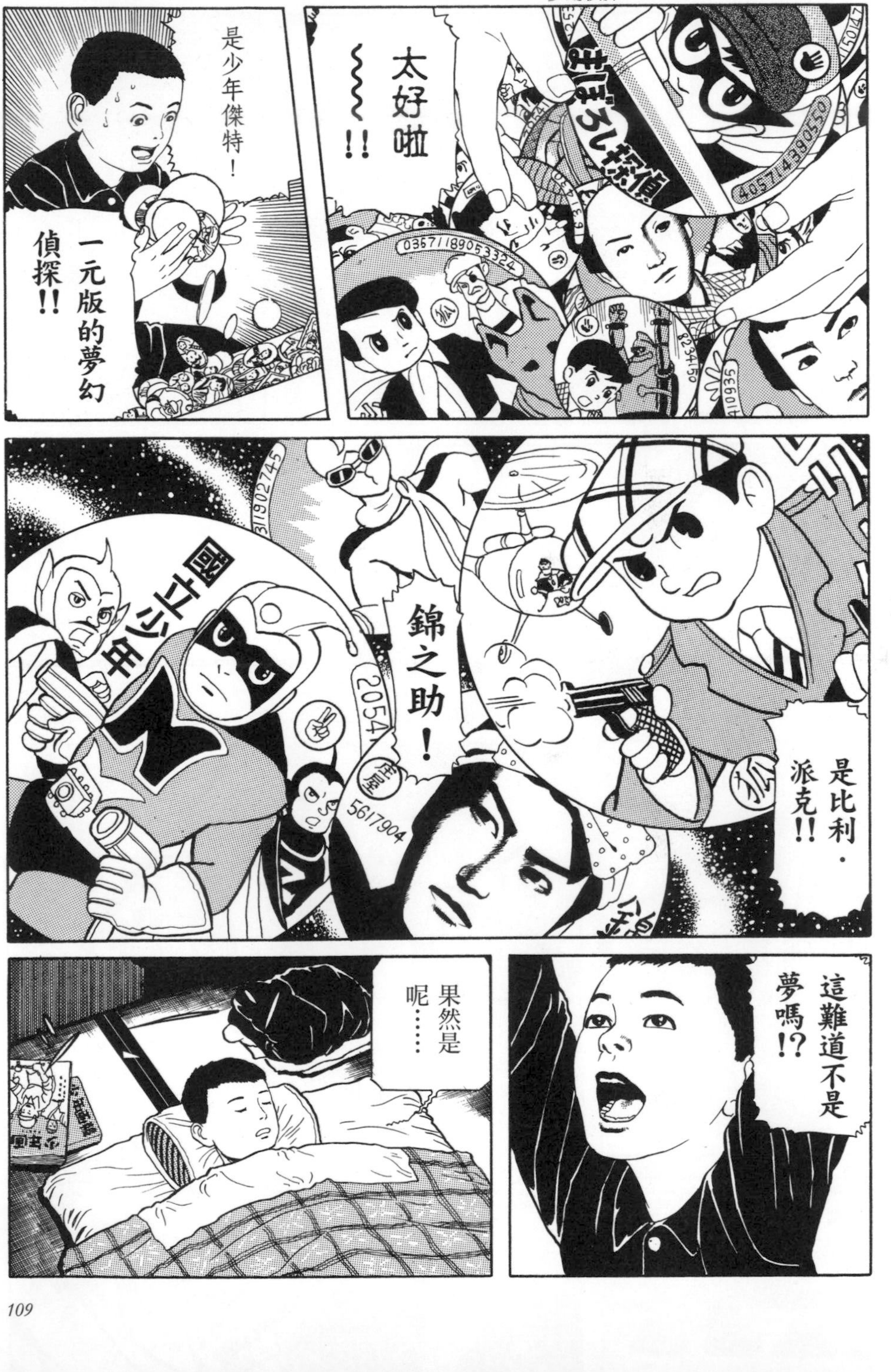

譯註2 「一元版」是一張一元的大尺寸尪仔標。

錦之助！

是比利・派克！！

果然是呢……

這難道不是夢嗎！？

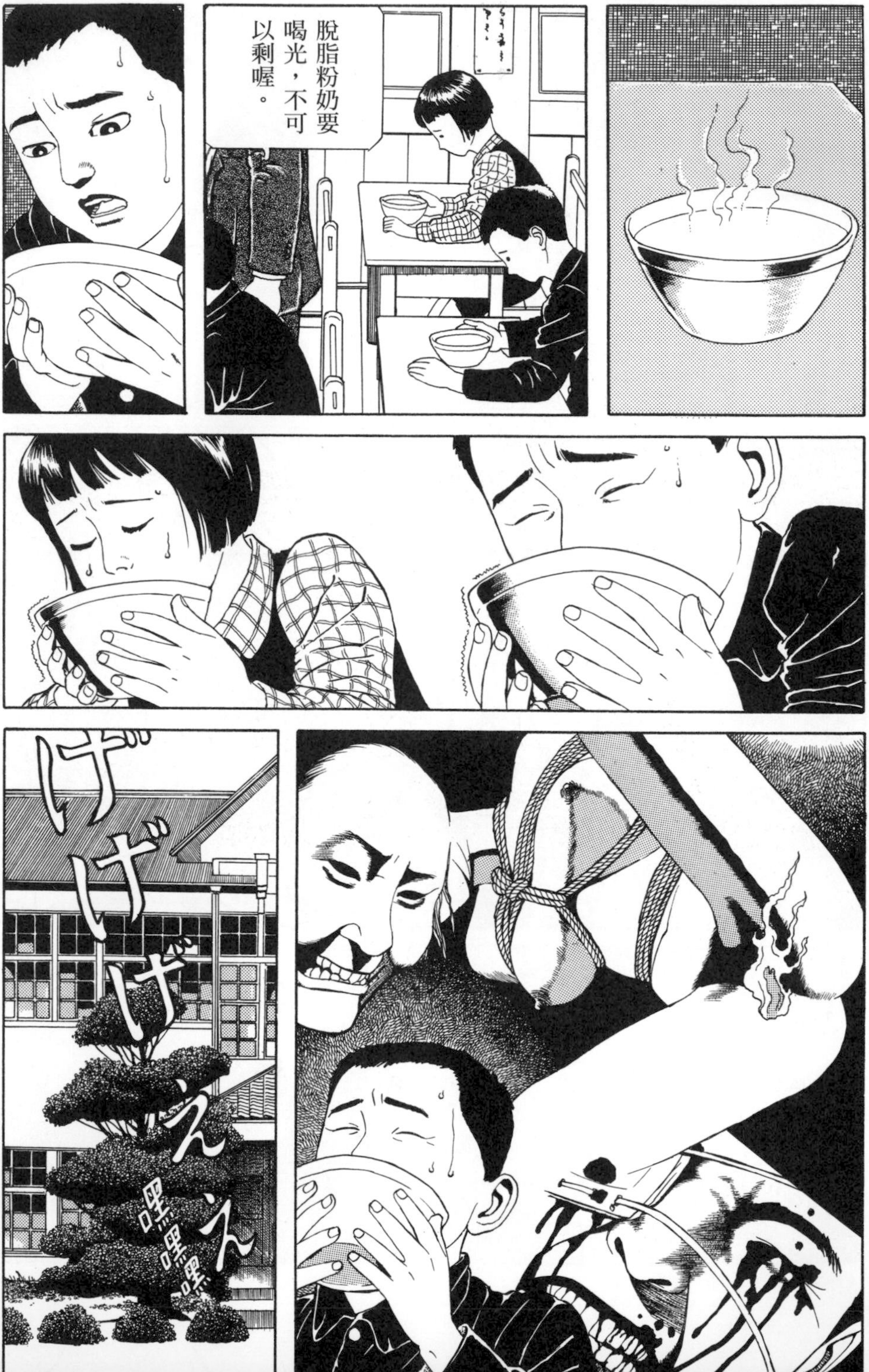

作者註：「脱脂粉奶」是昭和二十年代末期到四十年代前半的小學營養午餐供應的超難喝牛奶。

少年畫報／完

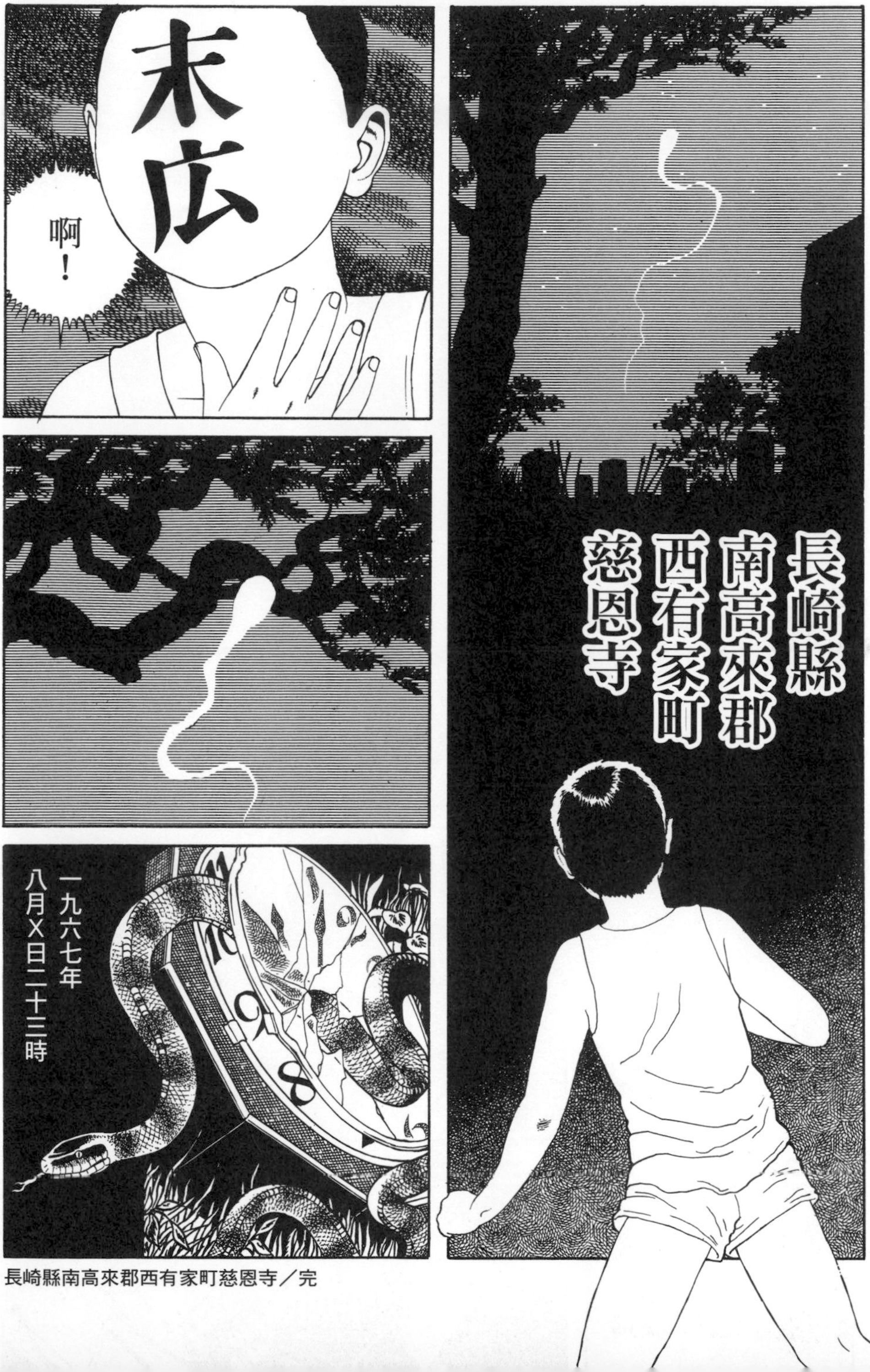

長崎縣南高來郡西有家町慈恩寺／完

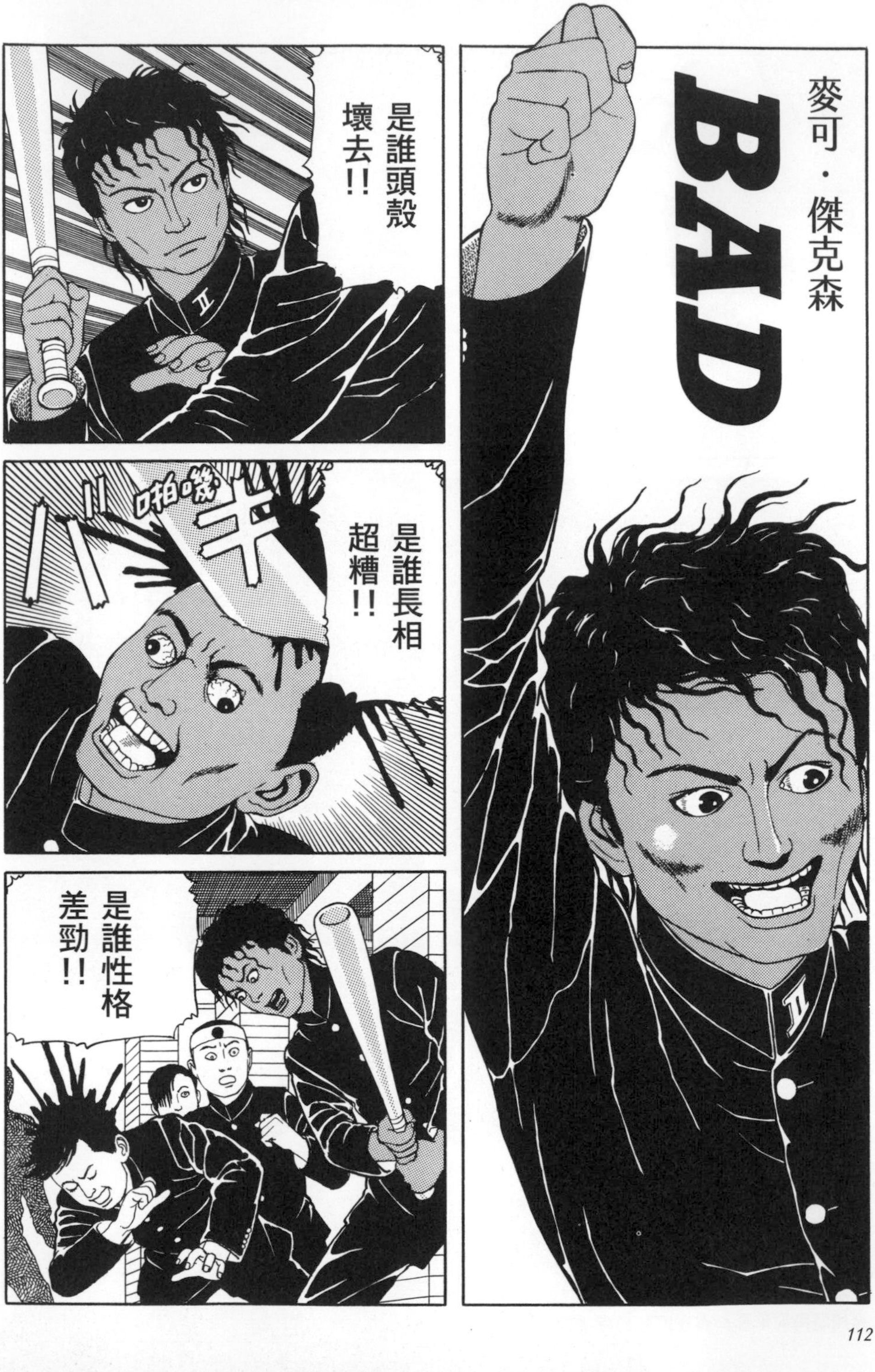
麥可・傑克森
BAD
是誰頭殼壞去!!
啪嘰
是誰長相超糟!!
是誰性格差勁!!

BAD／完

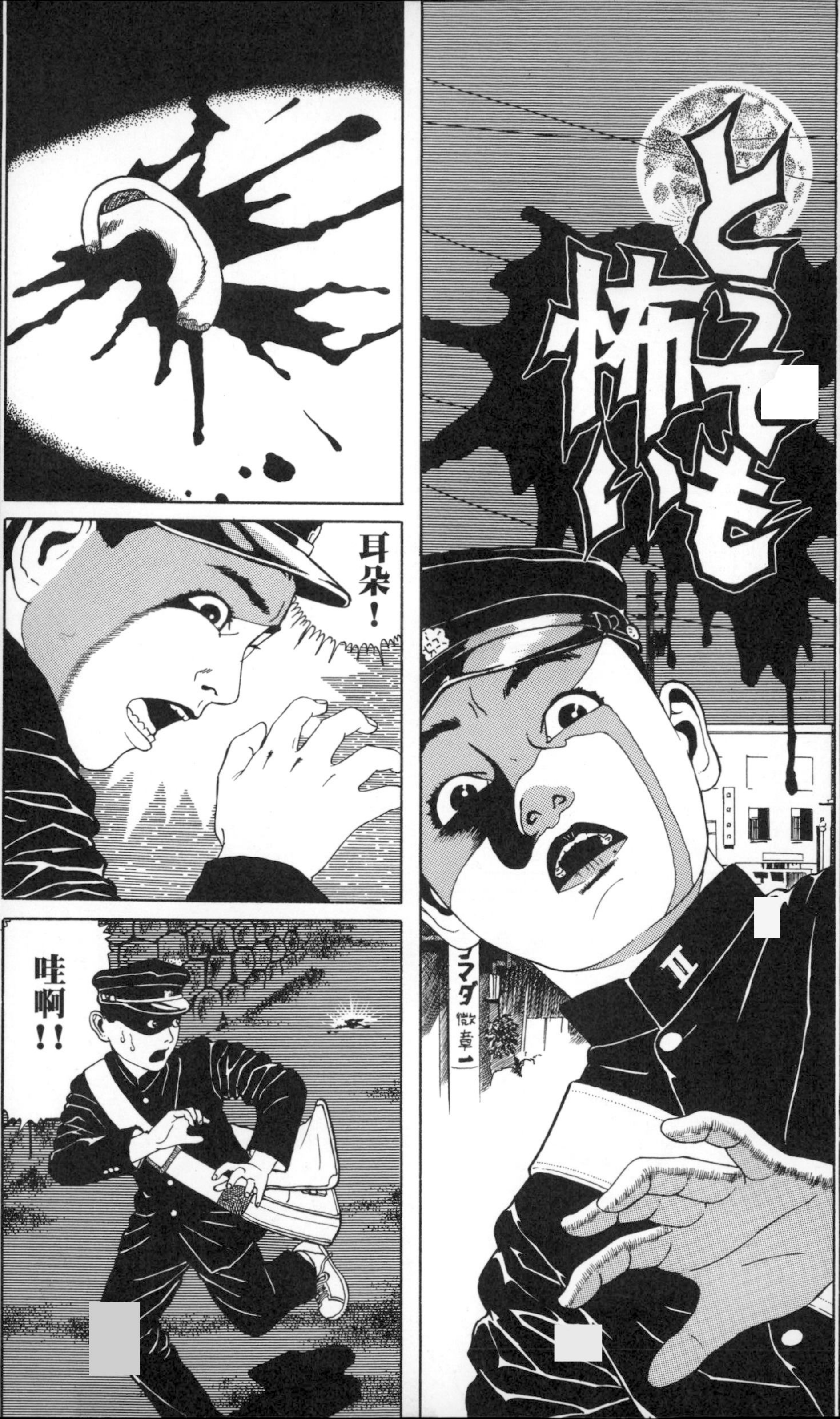
耳朵！
哇啊！！

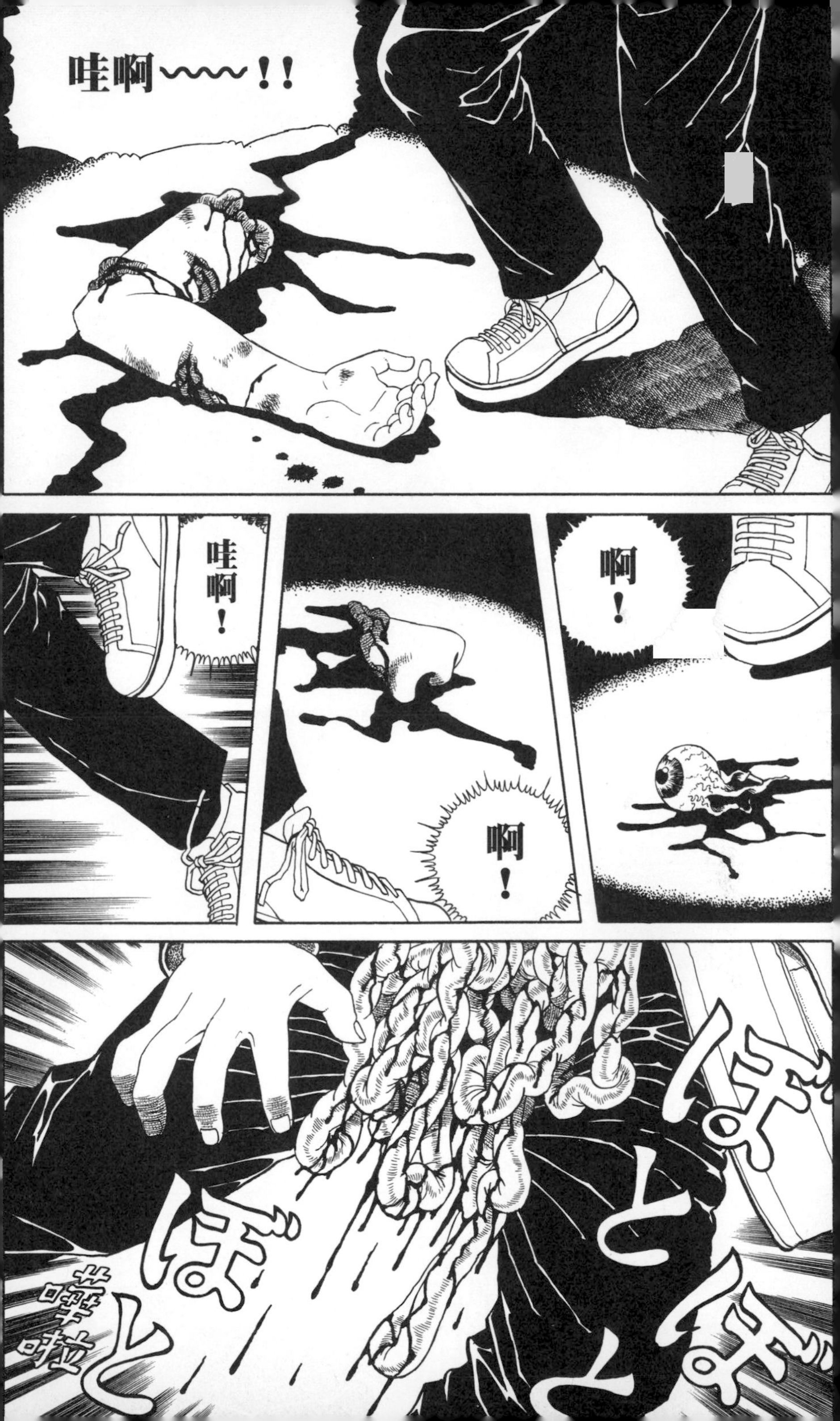
哇啊～～～!!
哇啊!
啊!
啊!
嘩啦

極度恐怖／完

眠
り
男
眠男
SEARS ROEBUCK

聽說撞見眠男的人，必定會死。

嗚嗚嗚
嗚嗚嗚……
VINS
VIN

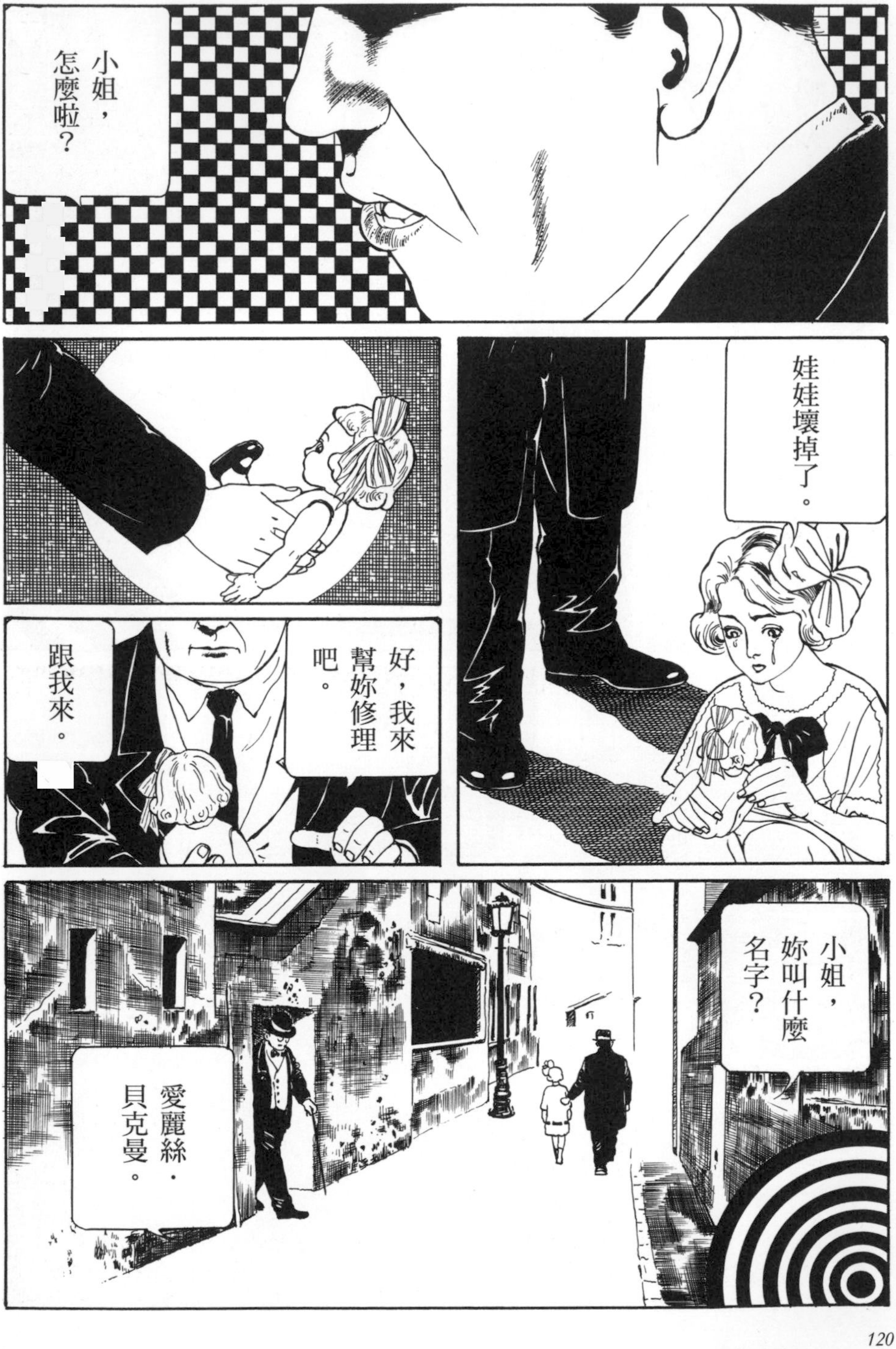
小姐，怎麼啦？
娃娃壞掉了。
好，我來幫妳修理吧。
跟我來。
小姐，妳叫什麼名字？
愛麗絲．貝克曼。

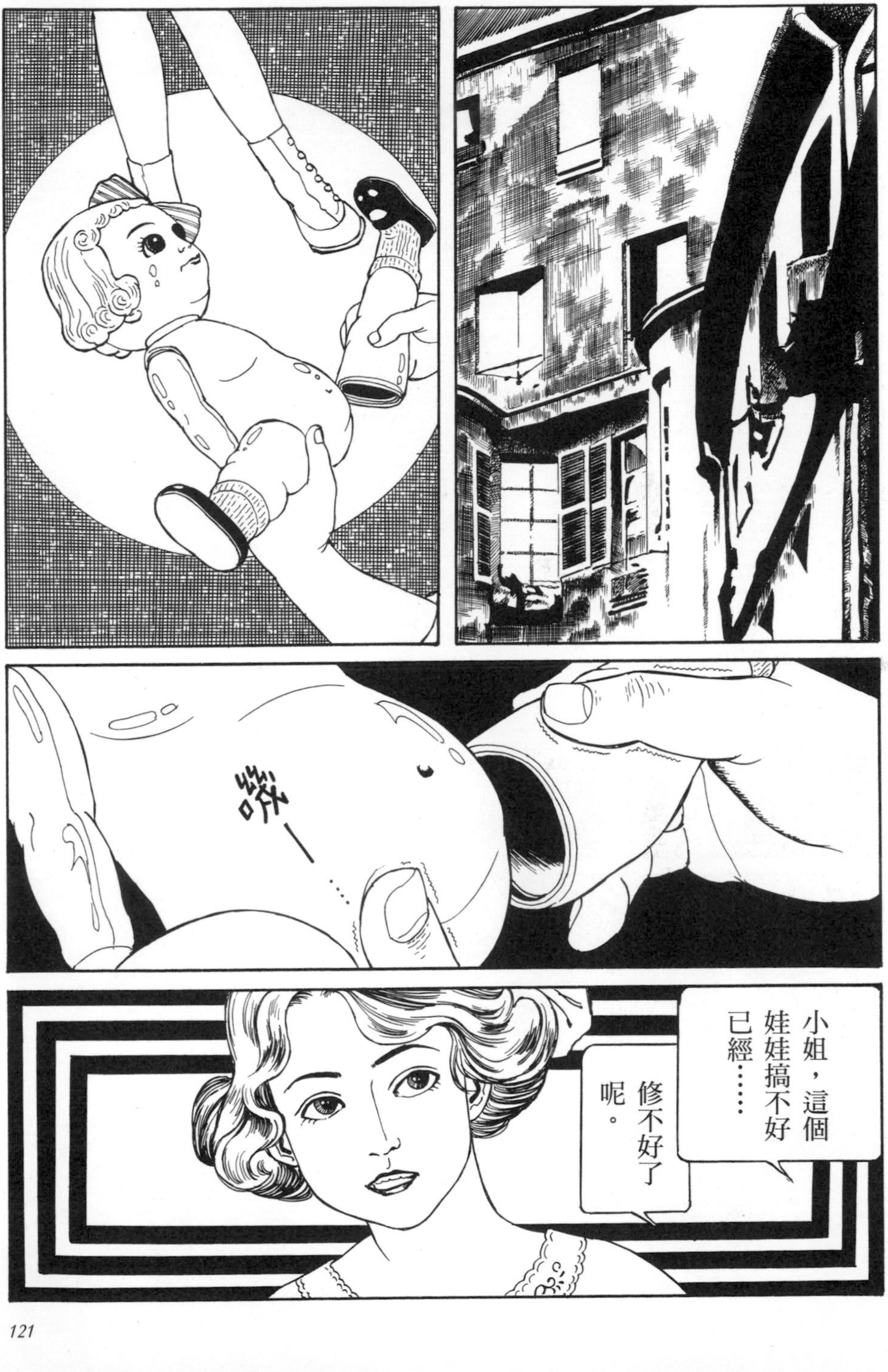
小姐，這個娃娃搞不好已經……
修不好了呢。

不過妳放心，
我給妳更好的娃娃喔。
咦？真的？快讓我看!!
喏!!很可愛吧。

叔、叔叔……!!
uncle
我昨天……
看到了一個穿黑衣的人呀。

然後昨晚，
我做了自己死掉的夢。
娃娃壞掉了，
我一直哭，
結果一個穿黑色大衣的
人過來了——
之後——
之後，
他突然——!!

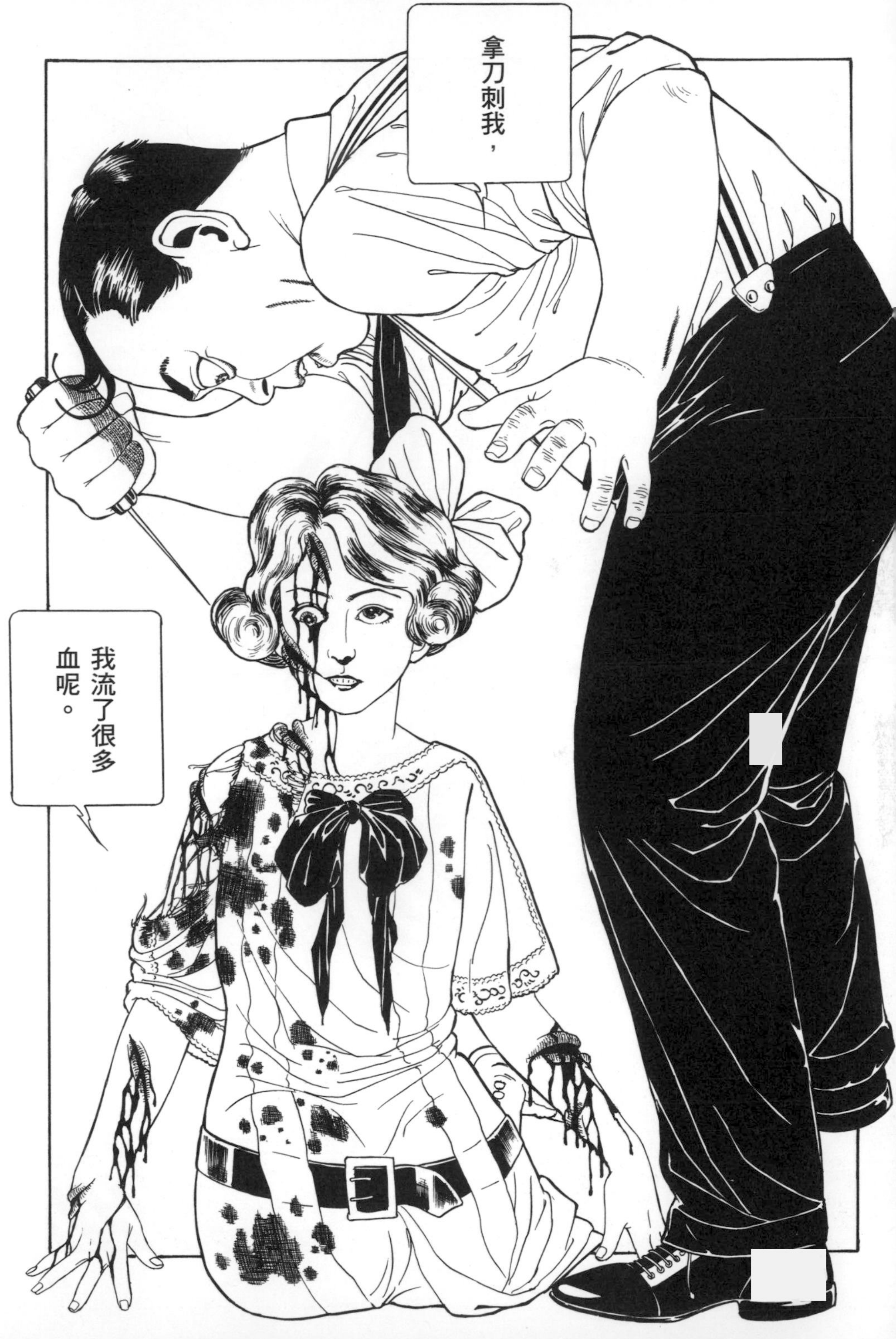
拿刀刺我，
我流了很多血呢。

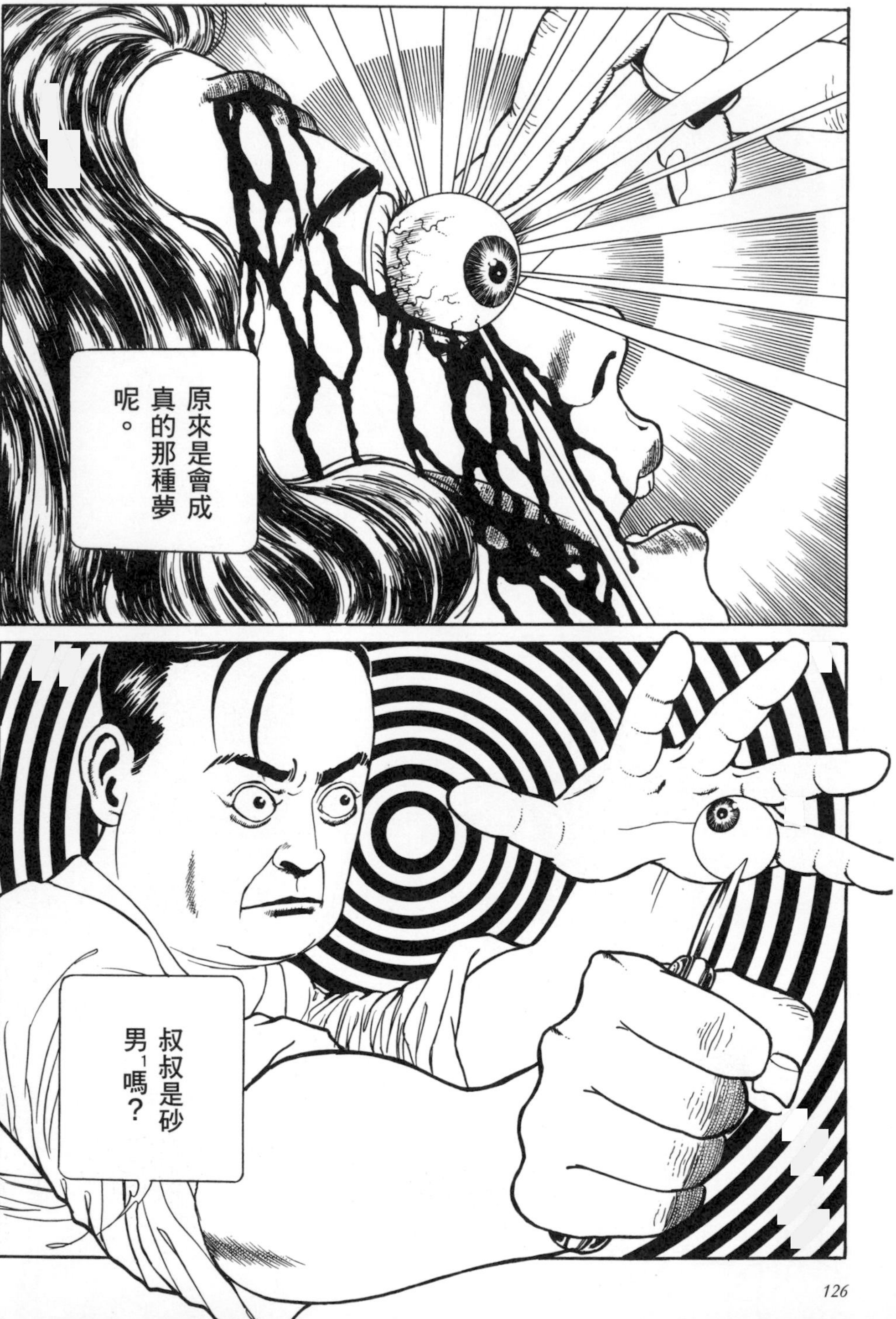

譯註3 德國作家霍夫曼的短篇小說，主角愛上人偶。

不，我只是普通的殺人犯喔。
捏
薔薇乃薔薇，為薔薇，
薔薇的薔薇乃薔薇，薔薇為薔薇，薔薇的薔薇乃……
薔薇是薔薇，薔薇的薔薇是……

是誰!?

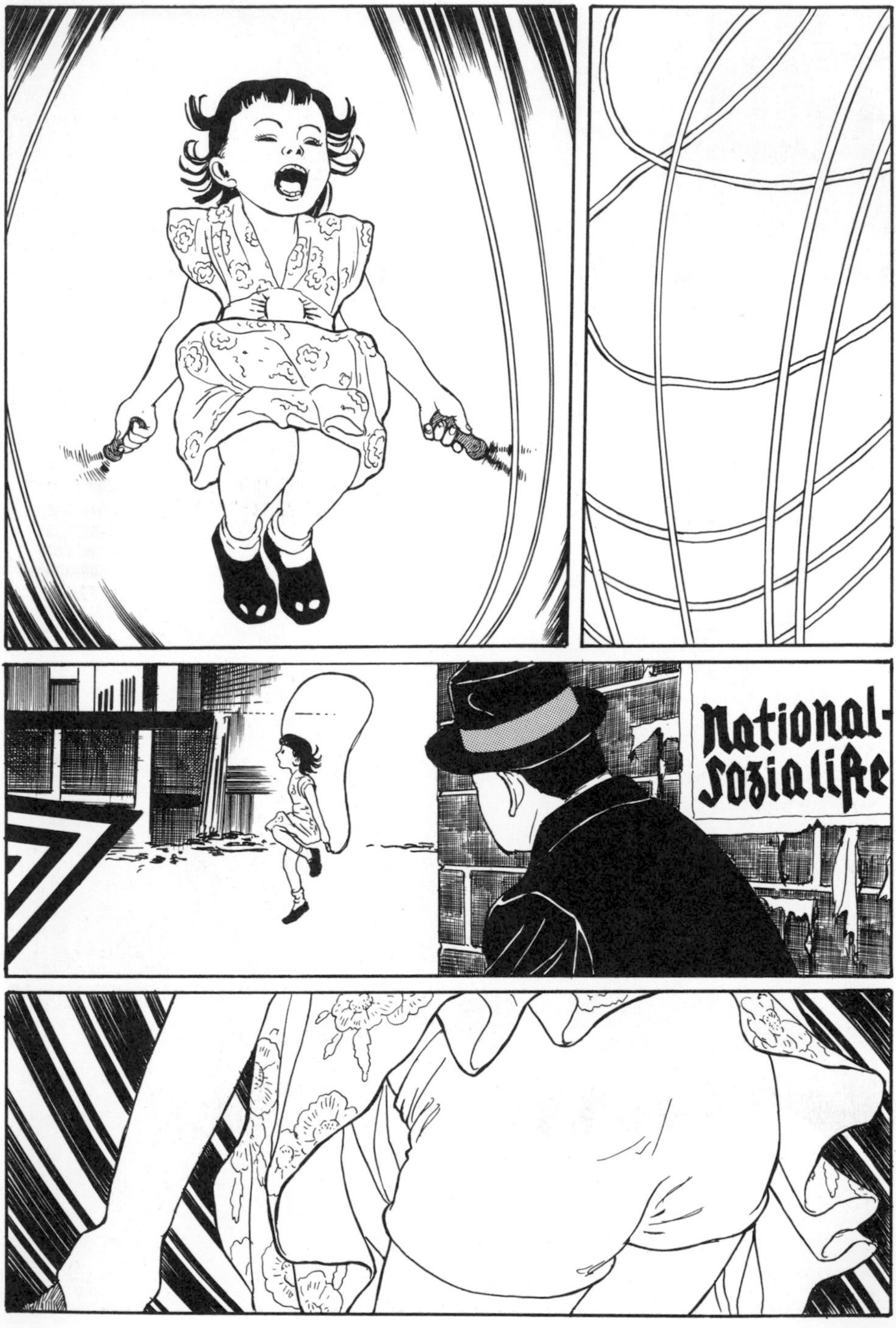
National-
Sozialiſte

盯
妳要玩到什麼時候呀!?
快點過來!!
好~~~~!!

バチン
啪嚓
ダダダダダダダ
噠噠
噫!!

啪嗟
啊！
這是……!?
上鉤了呢，臭變態!!
啊!!

眠男／完

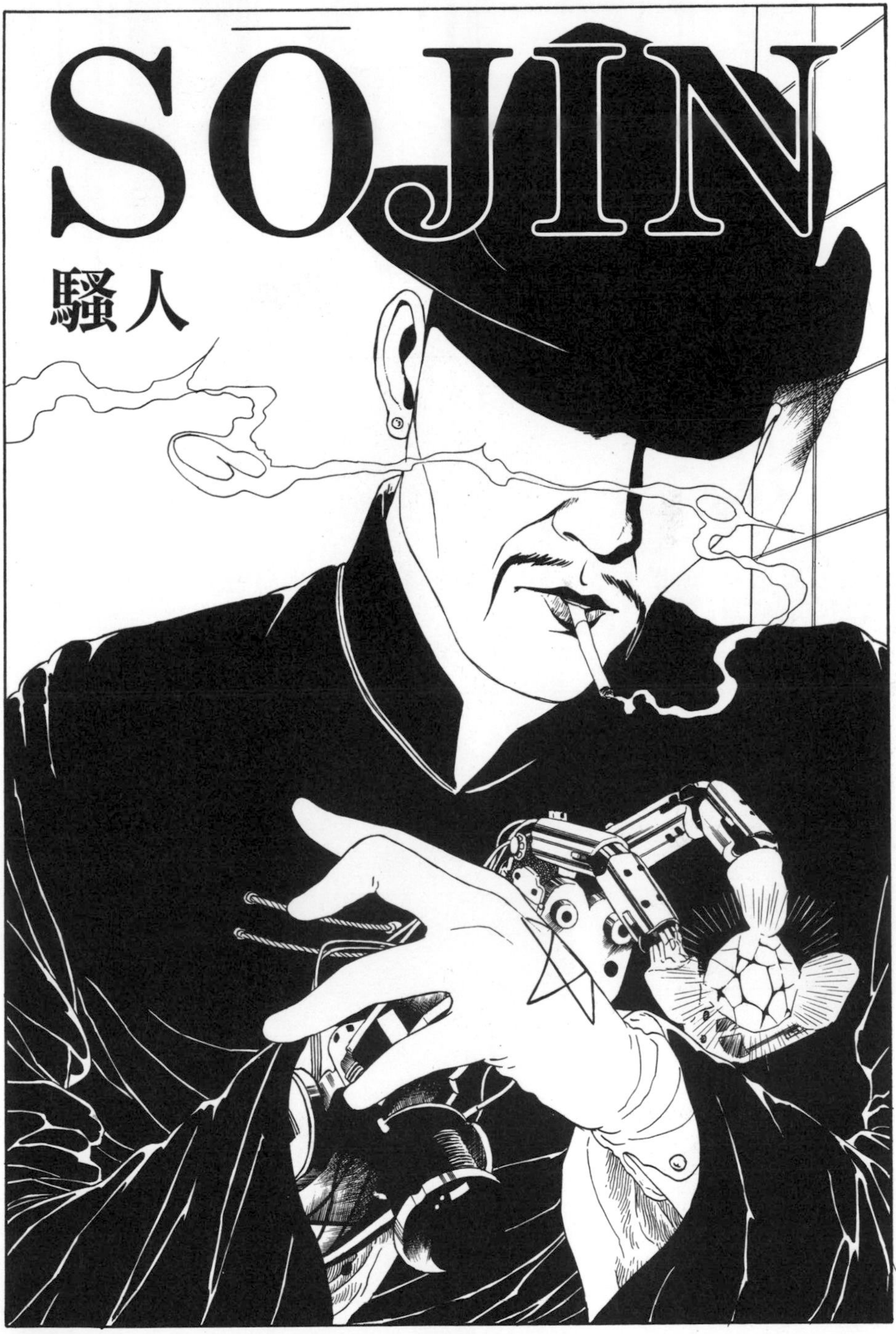
SŌJIN
騷人

它在一九三〇年代的上海突然現身了。當時，上海被
稱為魔都，在此，遂行道教式人體變異的毛派與運用
最新資本主義技術遂行人體改造的走資派機器人展開
了無仁義的鬥爭。

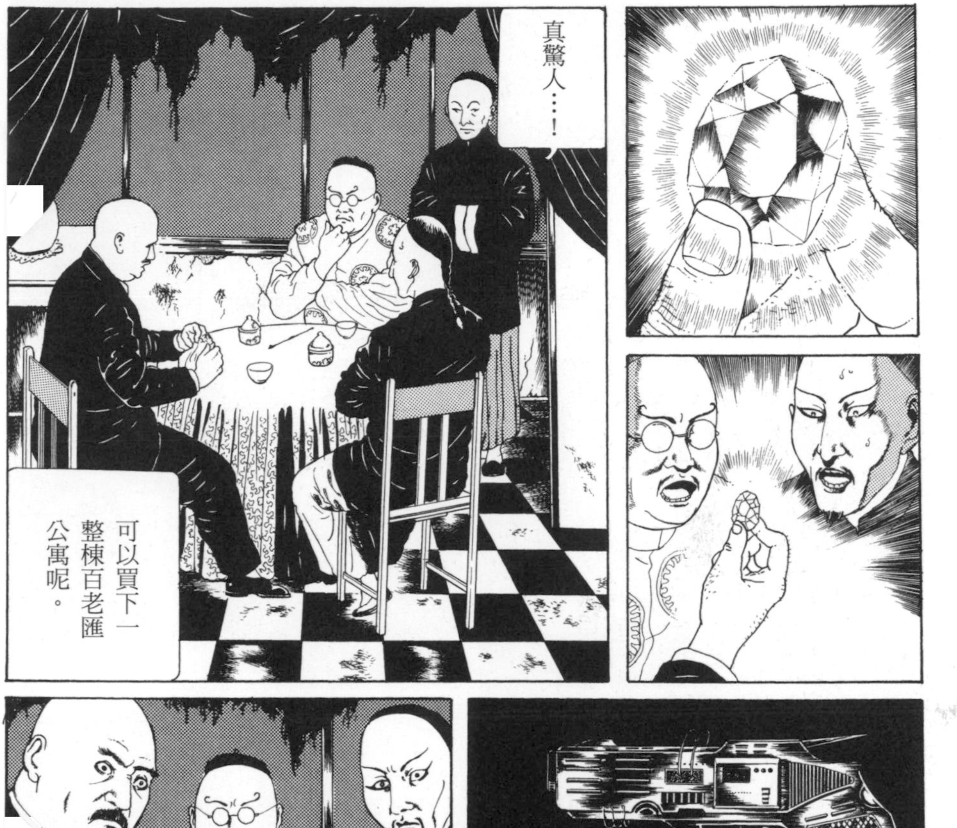
真驚人…！
可以買下一整棟百老匯公寓呢。
打擾了。
請把它交給我。

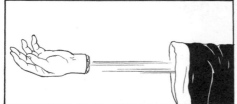

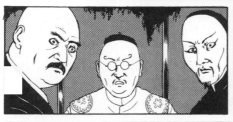

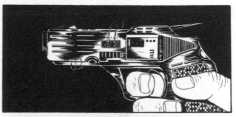

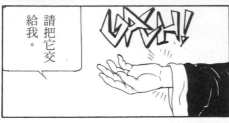

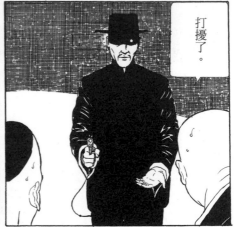

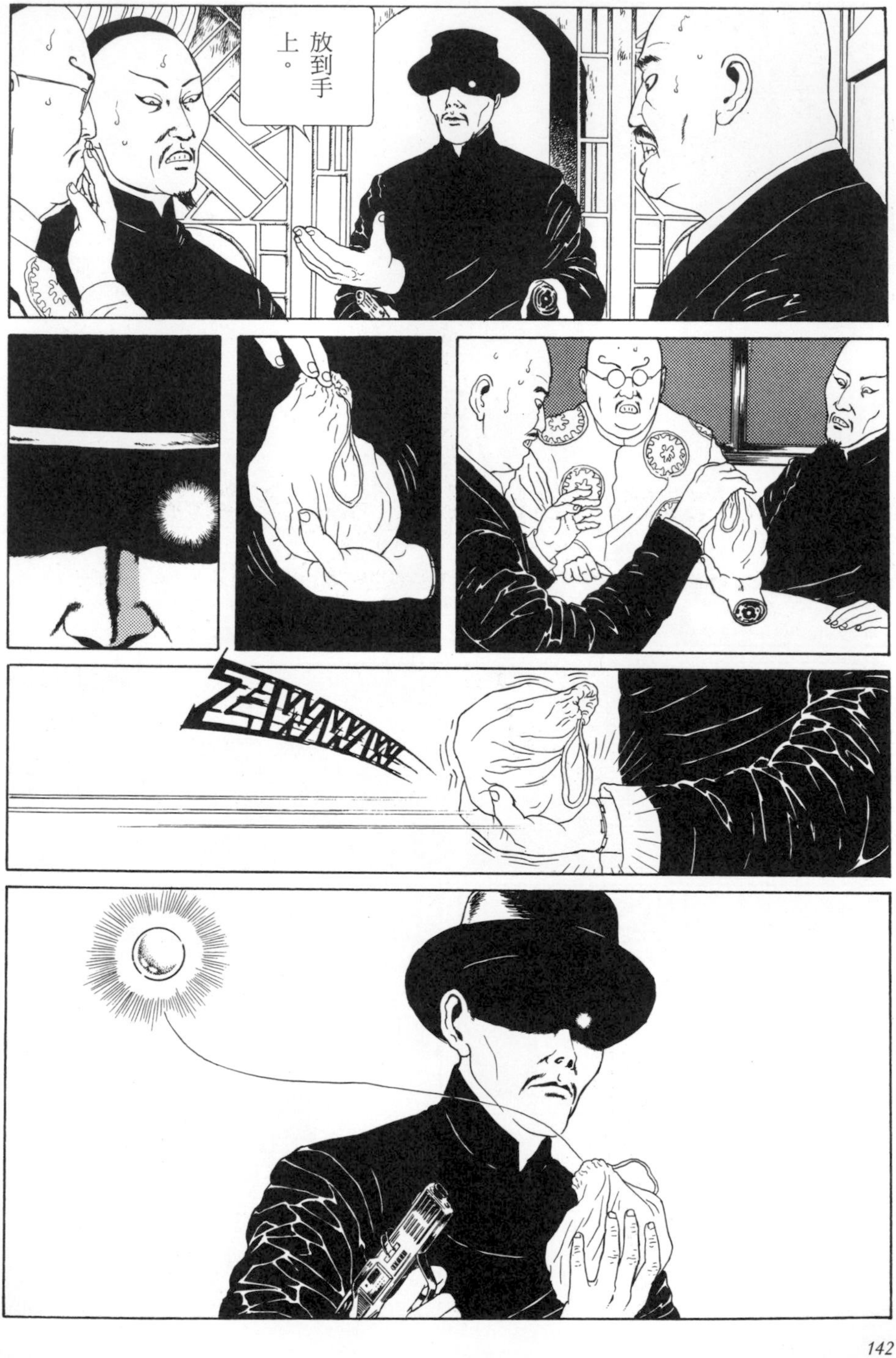
放到手
上。
ZWWWW

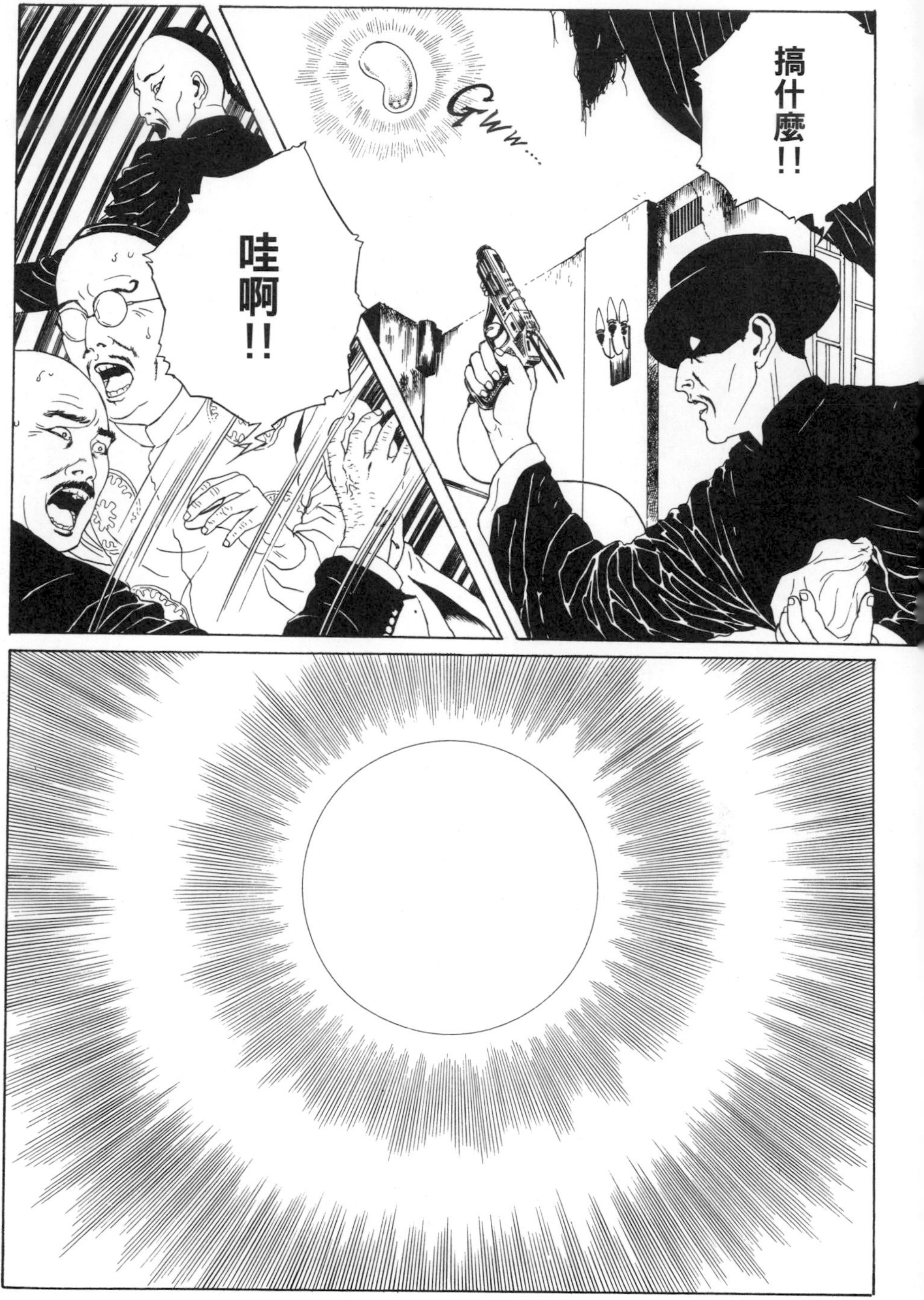
搞什麼!!
Gww…
哇啊!!

兆芳照相

騷人SŌJIN／完

Le Carnet d'or

金の手帳（カルネドール）

金色筆記

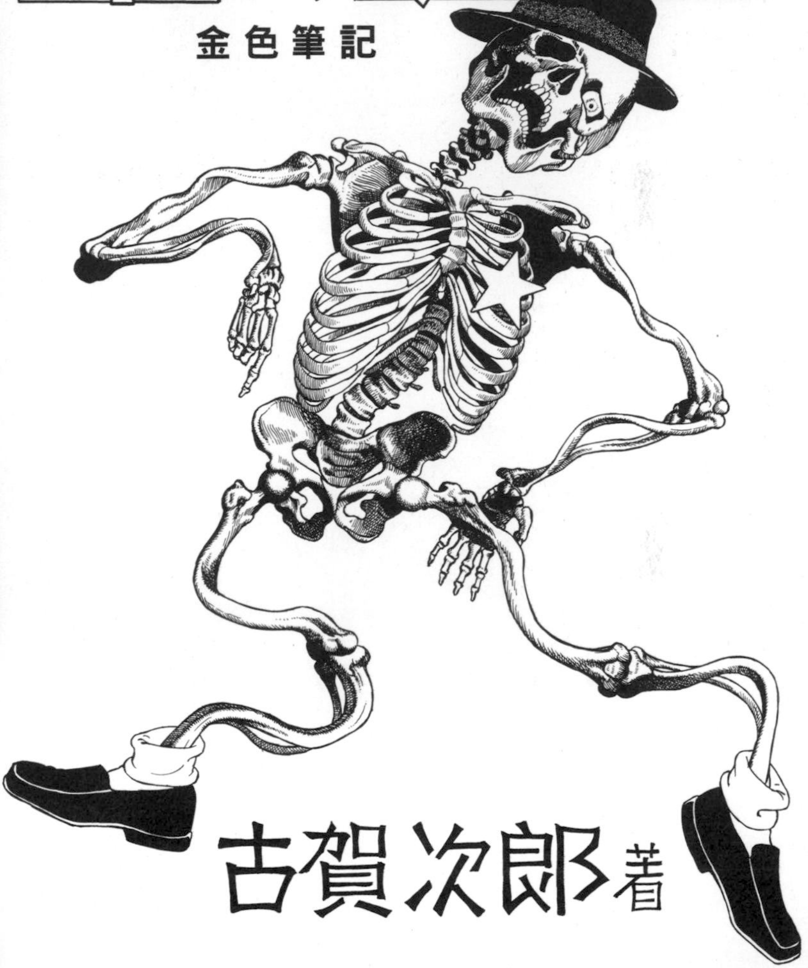

古賀次郎著

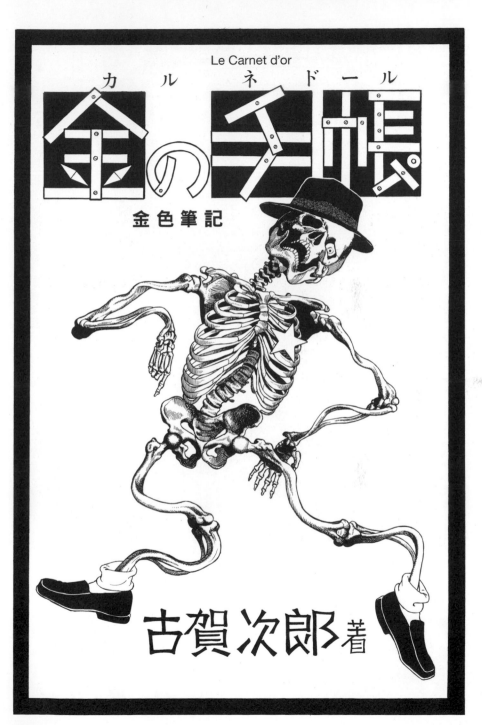

勝彦被車輾死了。
品川57
と71-69

宏美被狗咬死了。

美晴被變態殺死了。

晴臣得斑疹傷寒死了。

和一碰上火災死了。

立夫成績很差，自殺了。

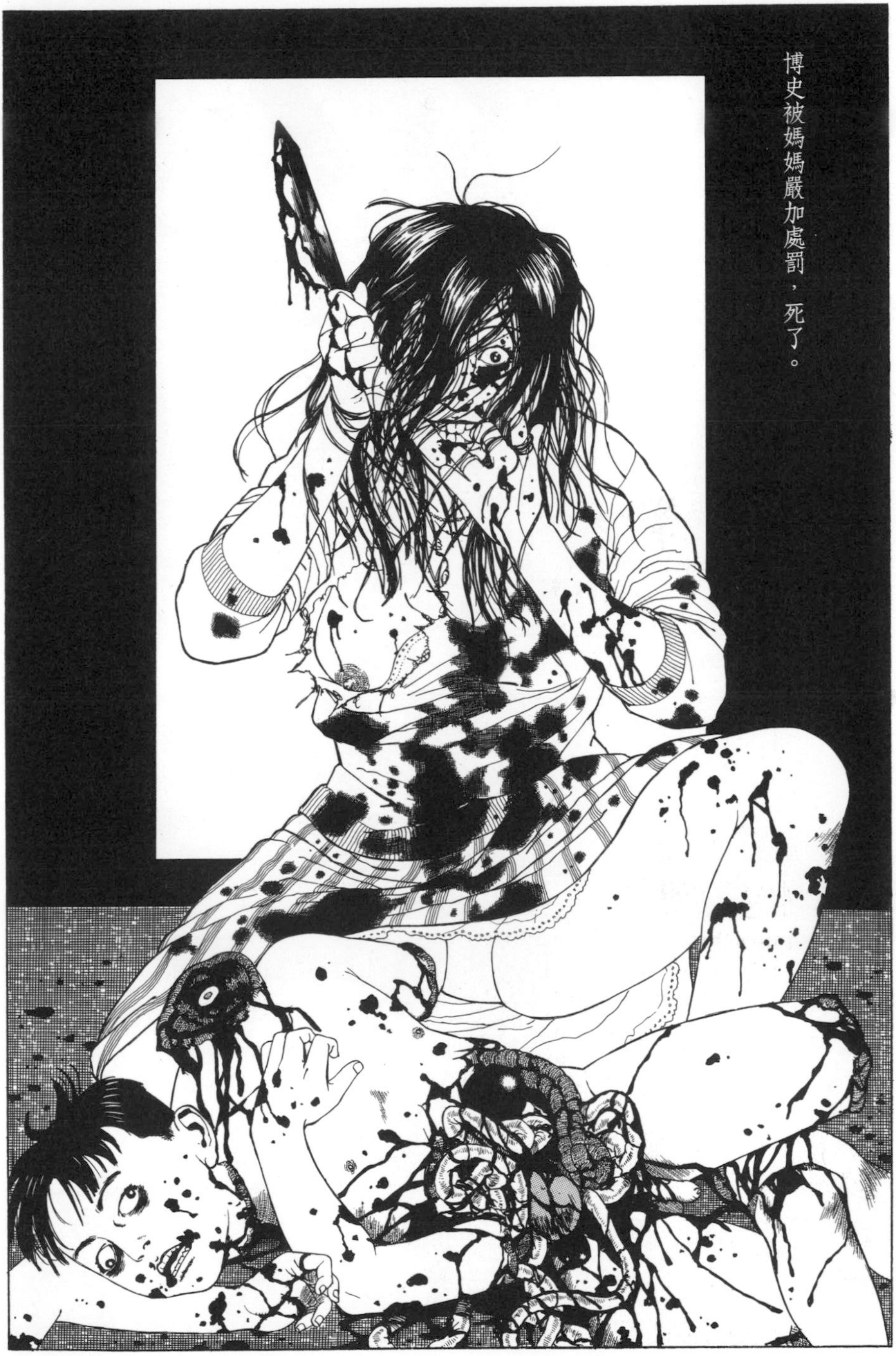
博史被媽媽嚴加處罰，死了。

這本書是怎樣啊!!
哈哈哈，道夫，我的繪本如何啊？
叔叔為什麼要畫這種畫啊？
一點也不有趣啊。
哎呀呀，下一頁很有趣喔。
咕嚕…
咕嚕…
啊

道夫喝了下毒的果汁，
死了。
啊……
這是!?
難道說……
難道…
是真的
喔~~~~

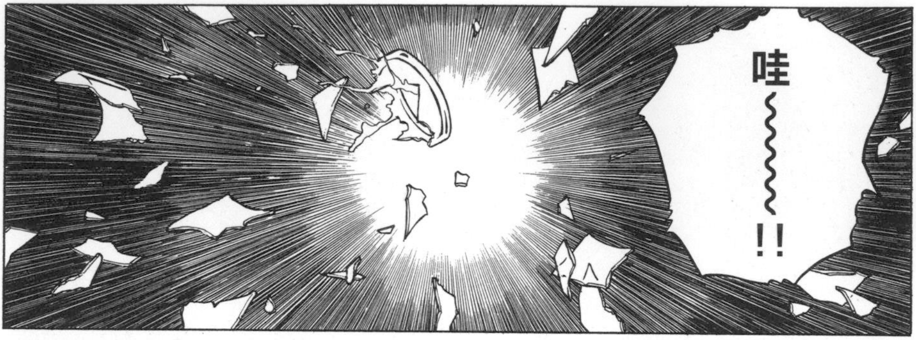

金色筆記／完

歡樂分隊

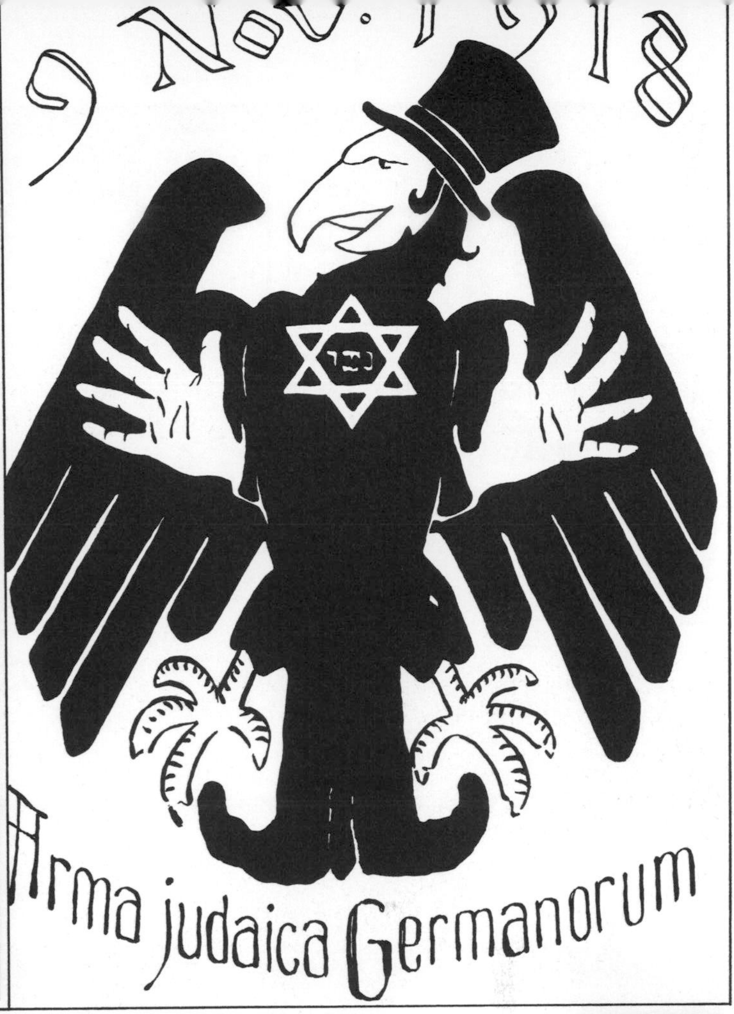
9 Nov. 1918
Arma judaica Germanorum

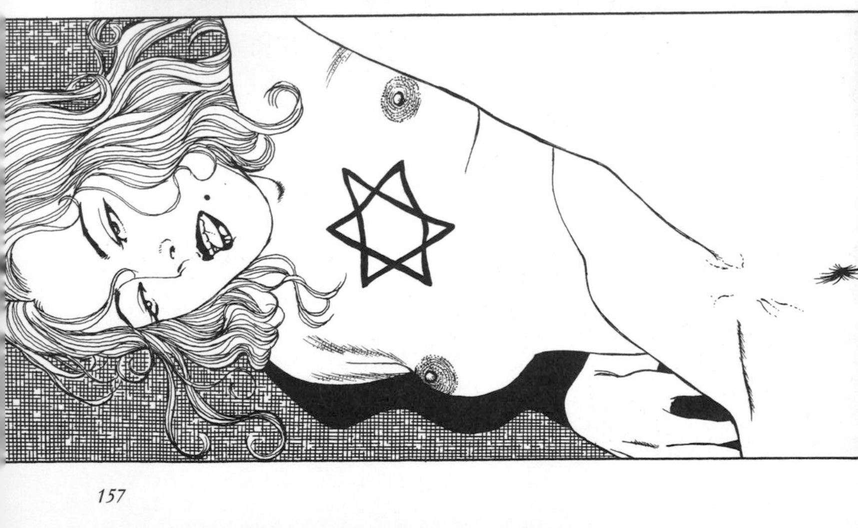

Suehiro Maruo

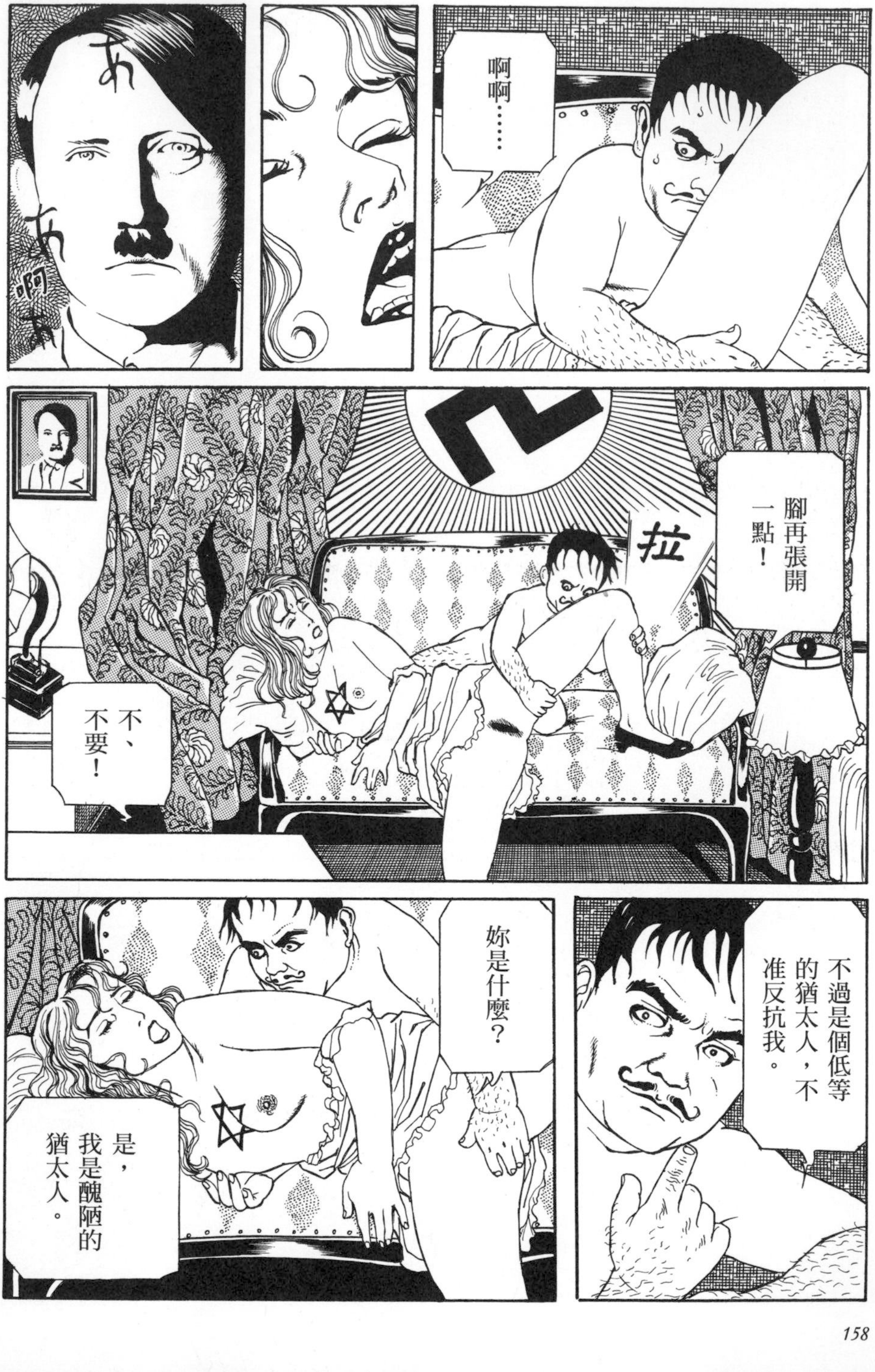
啊啊……
あ
あ
啊
あ
腳再張開一點！
拉
不、不要！
不過是個低等的猶太人，不准反抗我。
妳是什麼？
是，我是醜陋的猶太人。

咧咧咧
身為猶太人的妳，沒有所謂人格。
是的，性慾是人種歧視的根源。

再更歧視我
一點！
對，更歧視
一點。
不歧視的話我
勃起不了。
就是那!!
上啊!!
上啊!!

欸，元首，人類是這麼地不平等啊啊!!

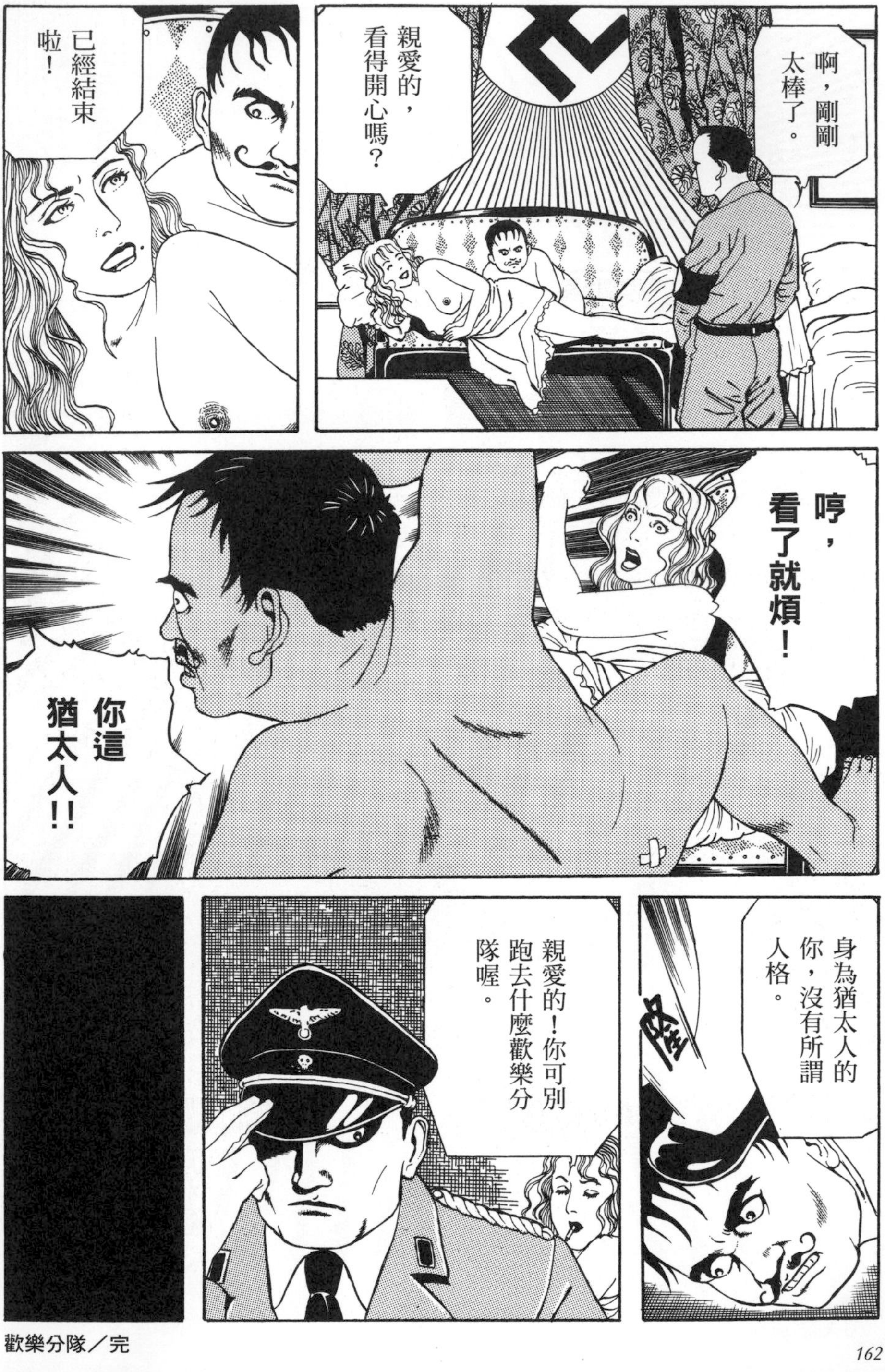
啊，剛剛太棒了。
親愛的，看得開心嗎？
已經結束啦！
哼，看了就煩！
你這猶太人!!
身為猶太人的你，沒有所謂人格。
親愛的！你可別跑去什麼歡樂分隊喔。

歡樂分隊／完

贗作 電氣蟻

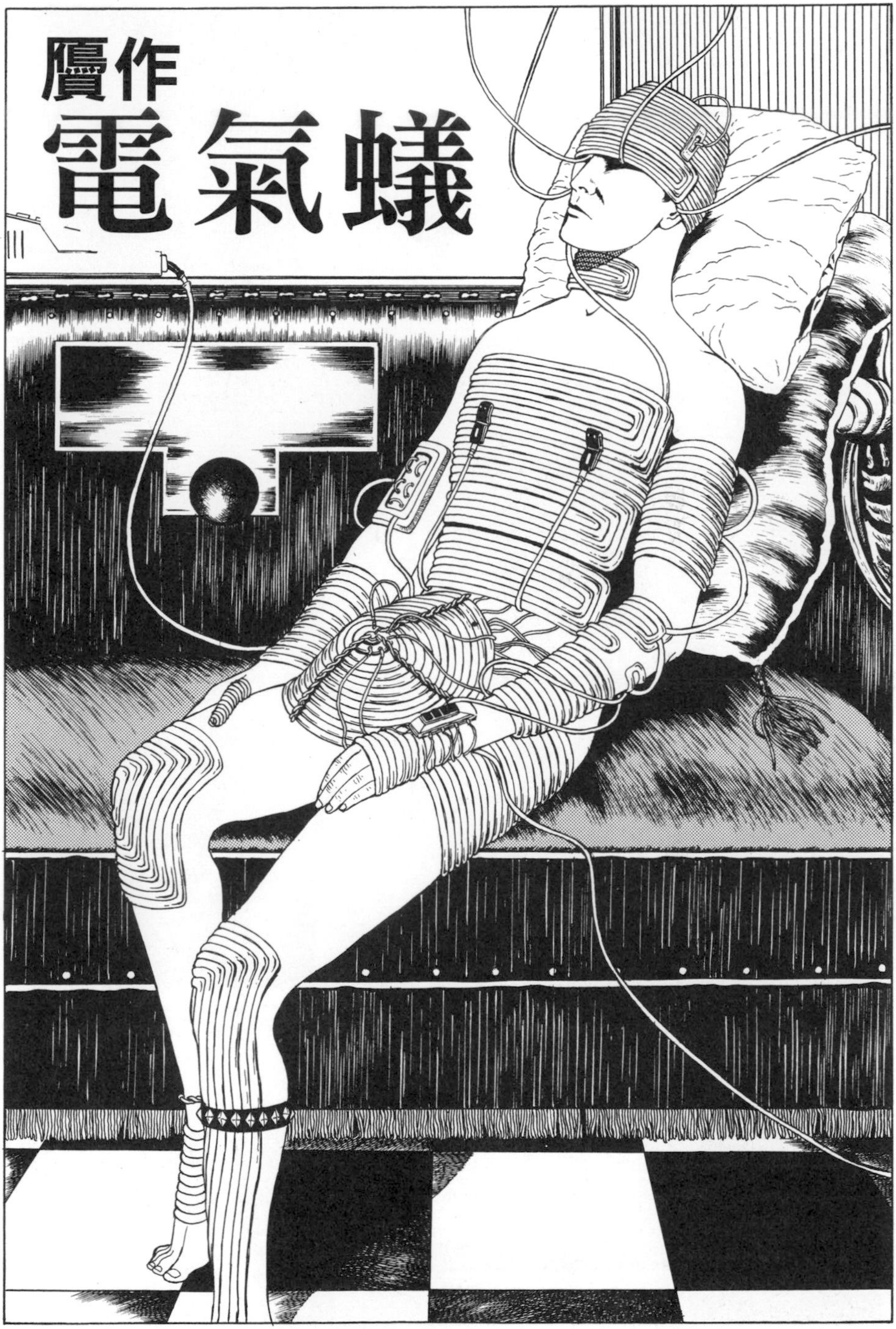

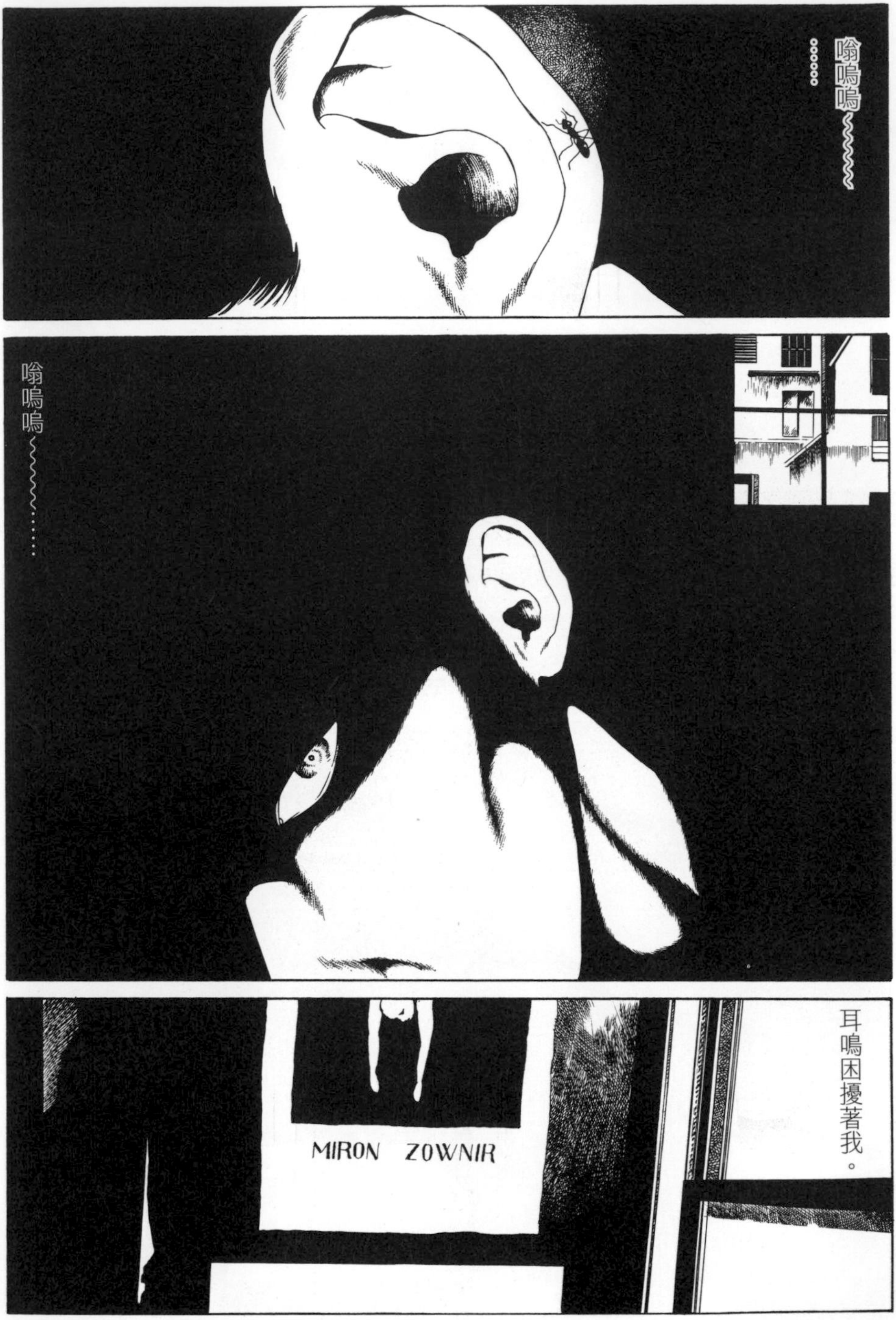
嗡嗚嗚～～～～～……
嗡嗚嗚～～～～～……
耳鳴困擾著我。
MIRON ZOWNIR

耳朵裡持續響著
昆蟲振翅般的聲音。
我把這件事告訴
瑪麗亞。
那不是
耳鳴呀。
耳鳴不是嗡嗡
聲，是「嘰——」
喔，嘰——
那這到底是……
隆……
嗡咿——

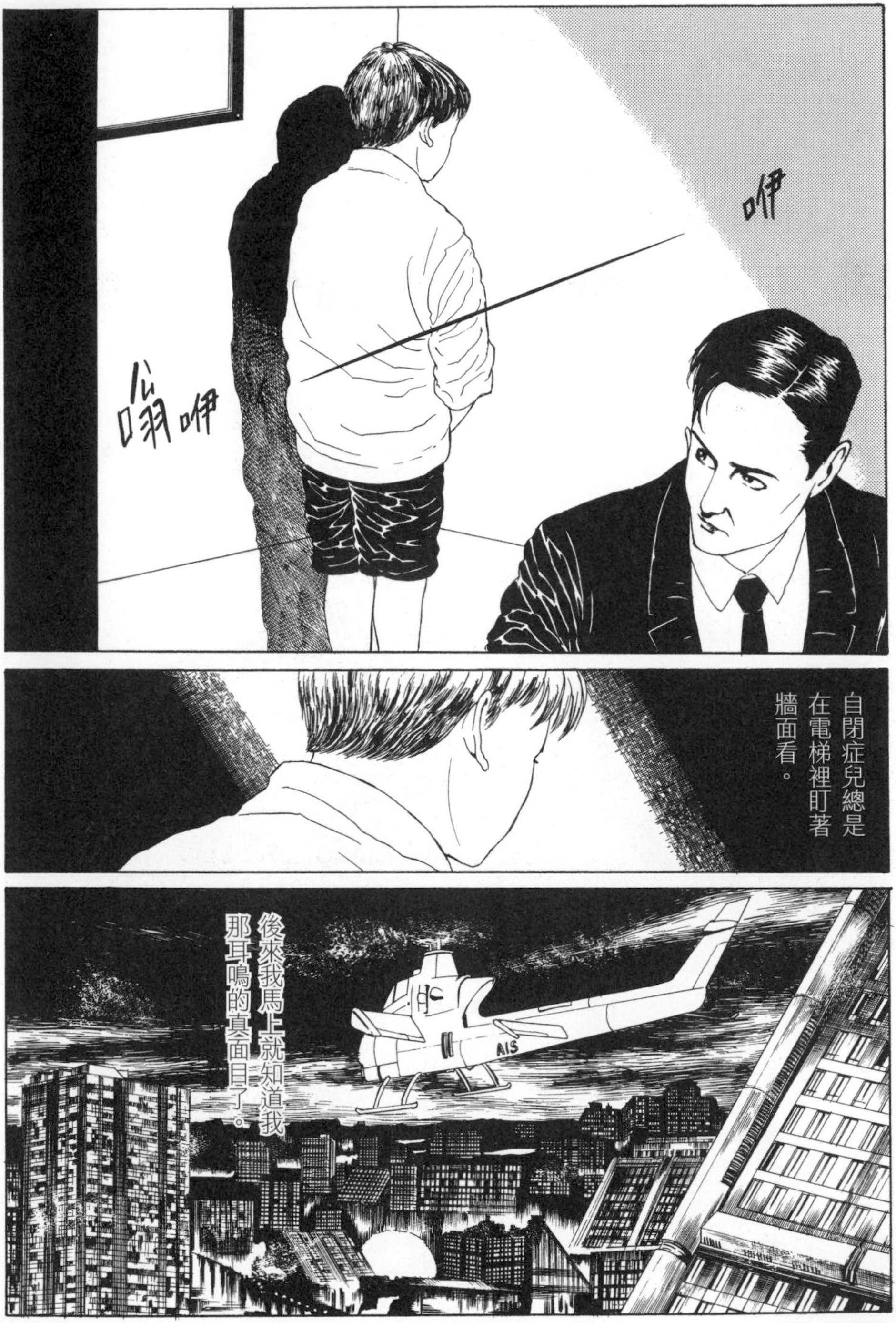
咿
嗡咿
自閉症兒總是
在電梯裡盯著
牆面看。
後來我馬上就知道我
那耳鳴的真面目了。

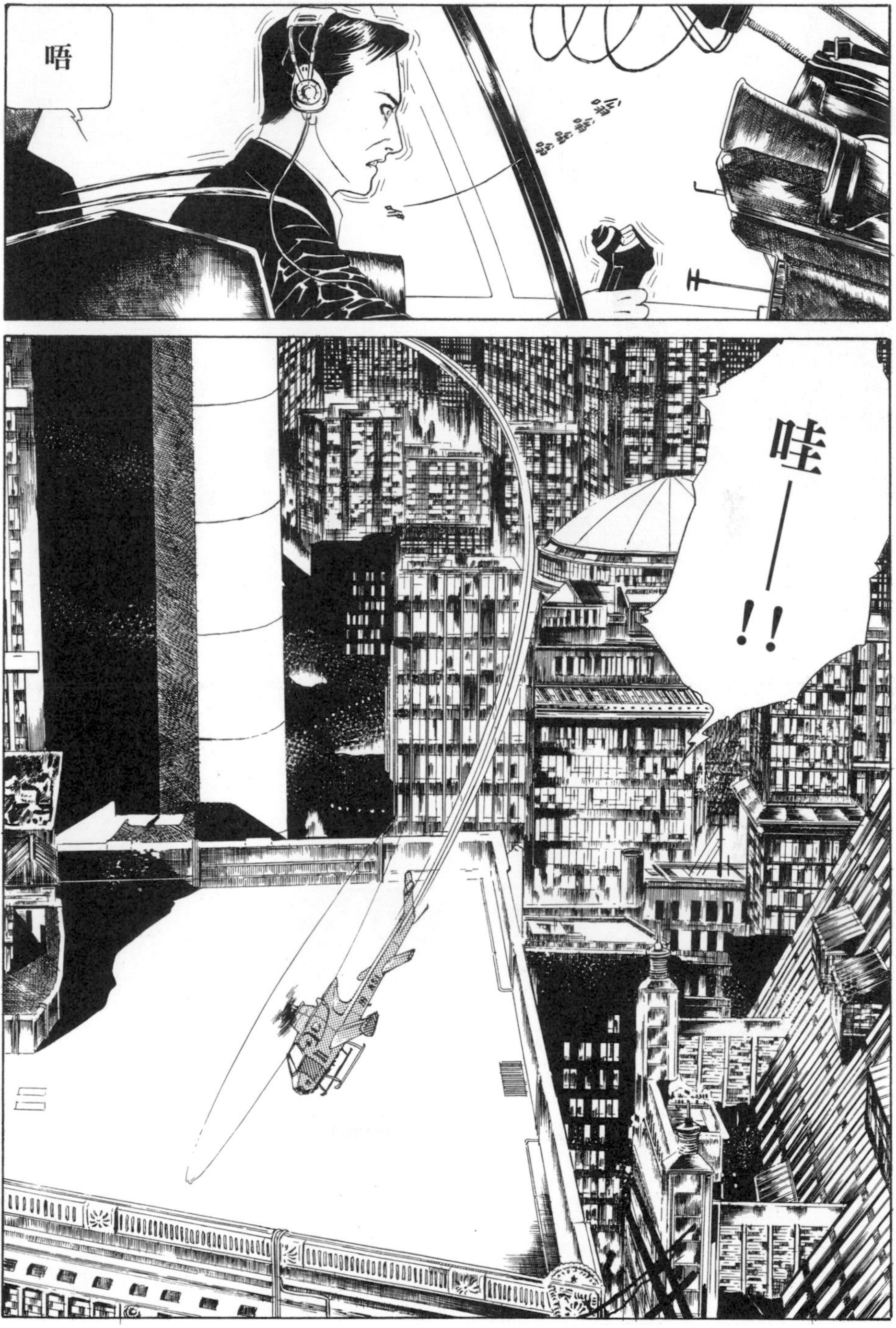
唔
哇——!!

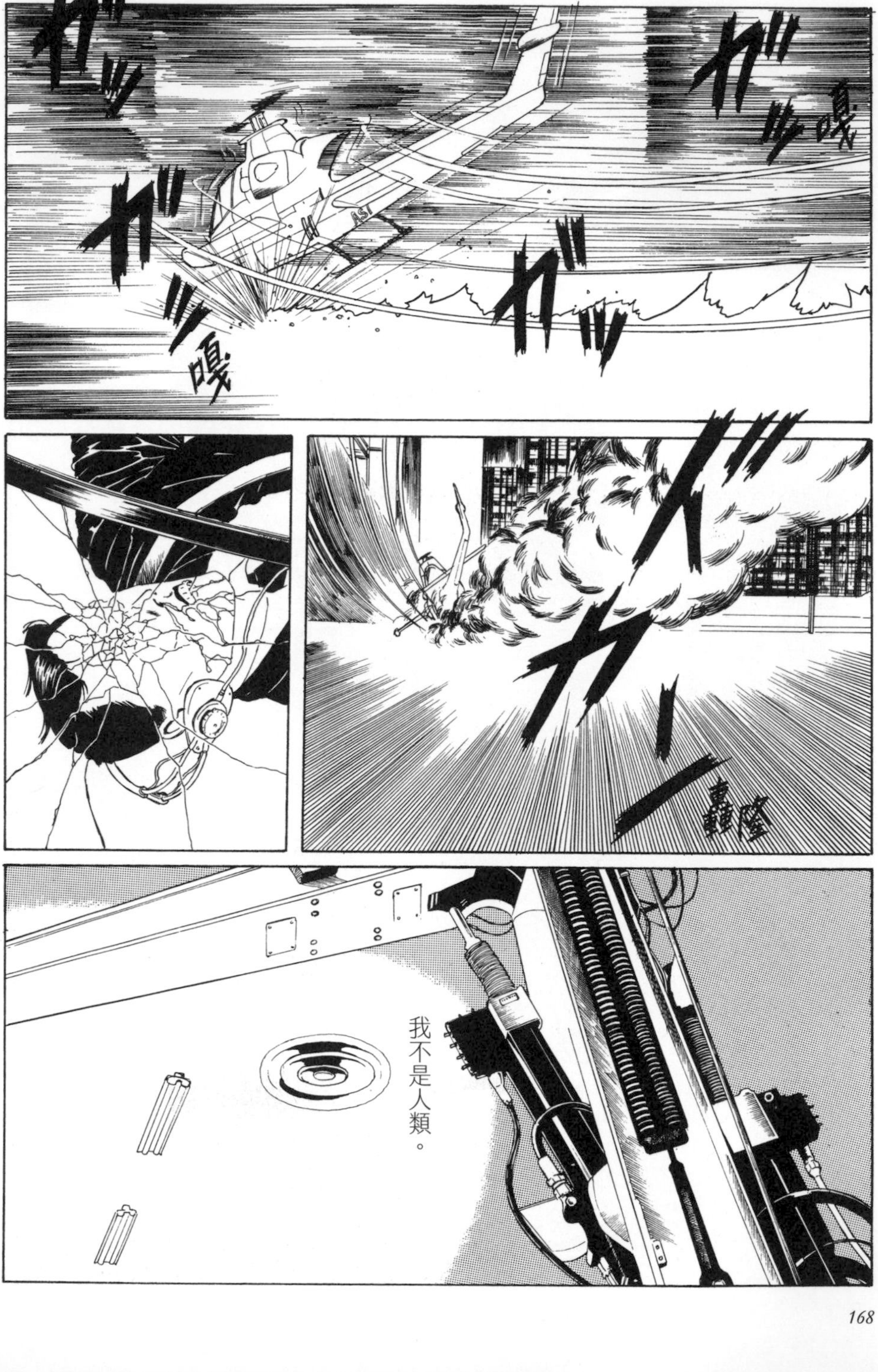
嘎
嘎
轟隆
我不是人類。

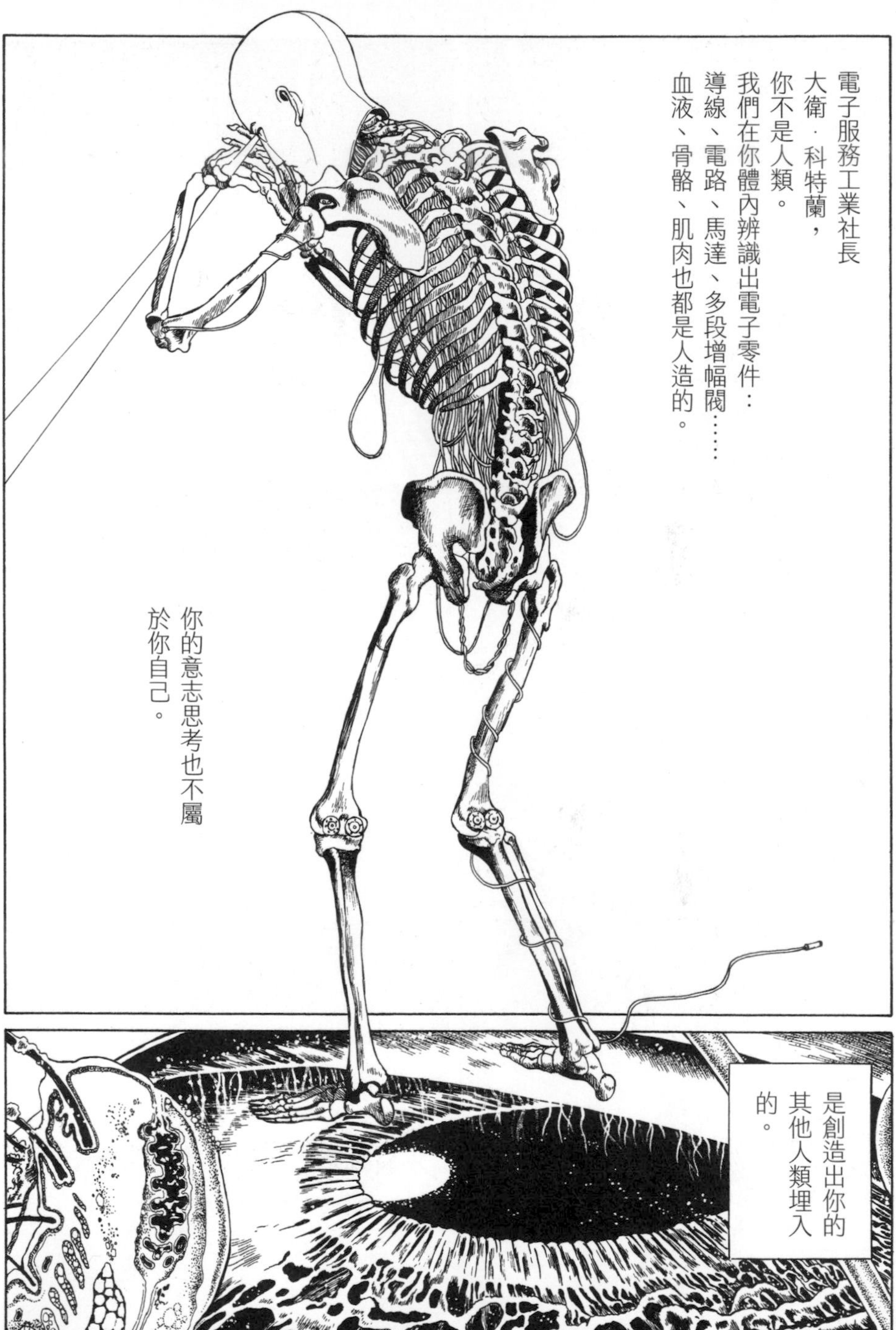
電子服務工業社長
大衛．科特蘭，
你不是人類。
我們在你體內辨識出電子零件：
導線、電路、馬達、多段增幅閥……
血液、骨骼、肌肉也都是人造的。
你的意志思考也不屬於你自己。
是創造出你的其他人類埋入的。

原來我是贗品。
不過我對這件事
並不怎麼驚訝。
要是由醫生來發表意見
他會說我的不驚訝
也是別人準備好的感情嗎？

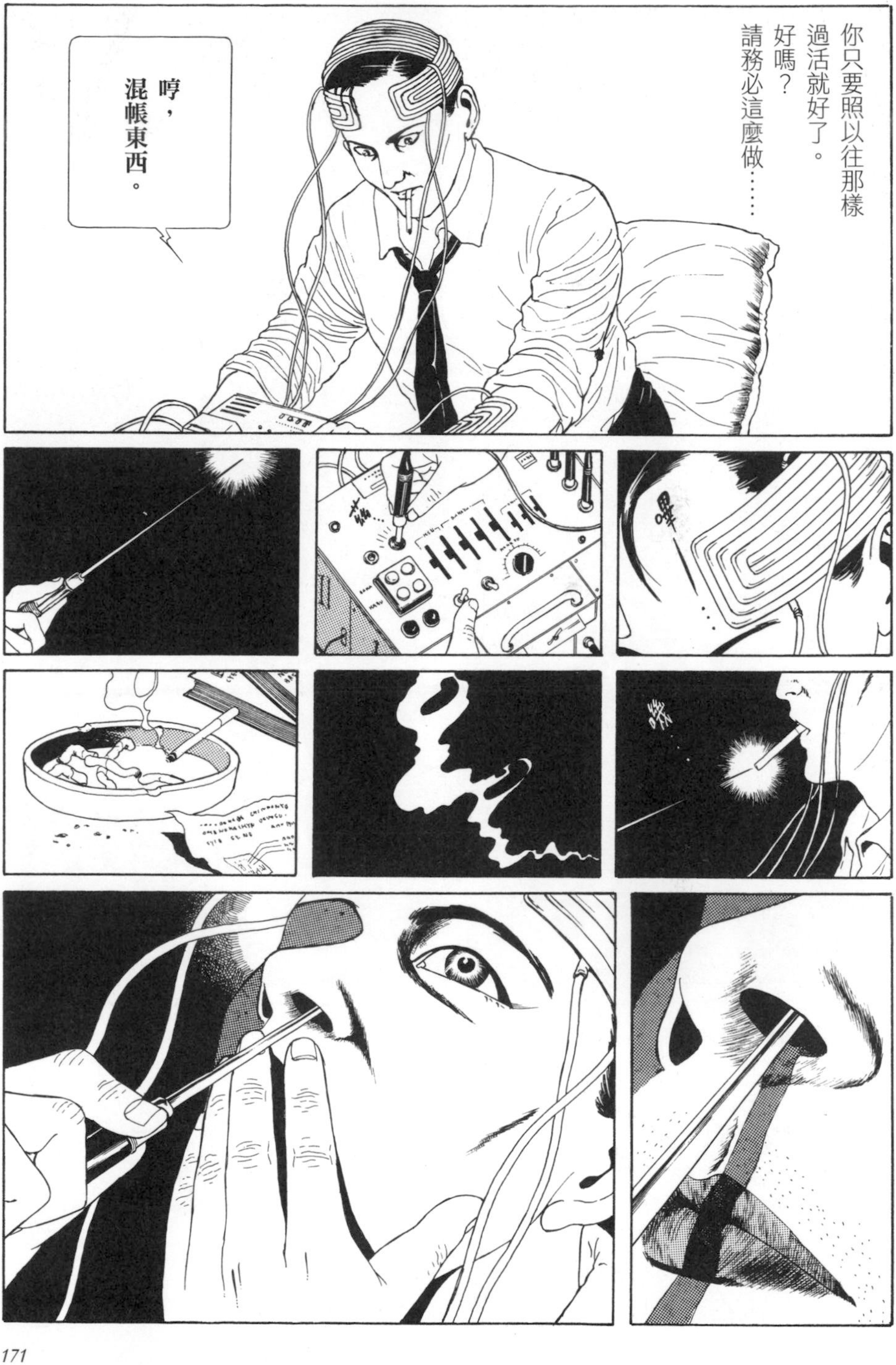
你只要照以往那樣過活就好了。好嗎？請務必這麼做……
哼，混帳東西。
嗶

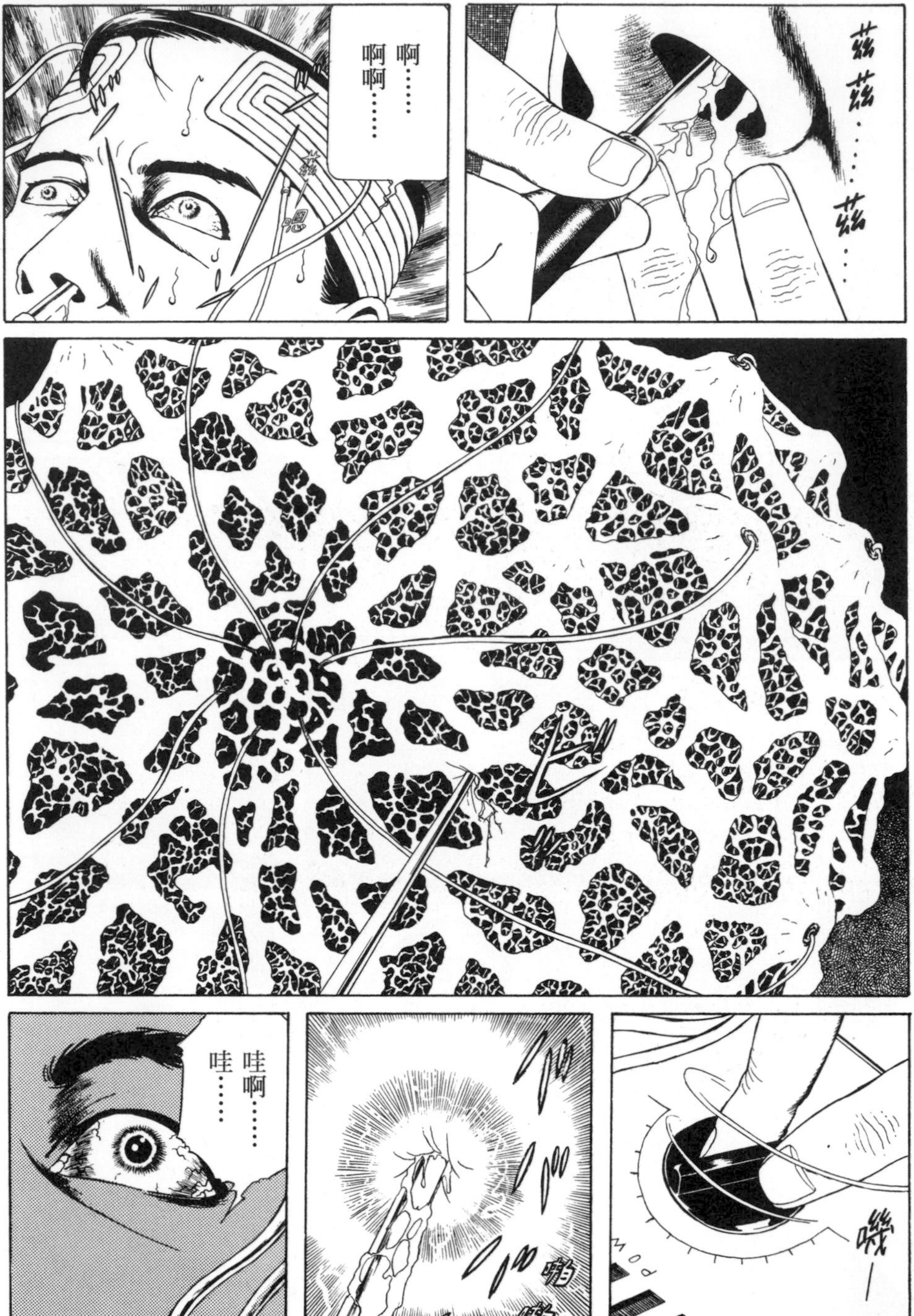

茲茲……茲……
啊……啊啊……
哇啊……哇……
啪啪
嘰—

哇!!
ボッ
轟—

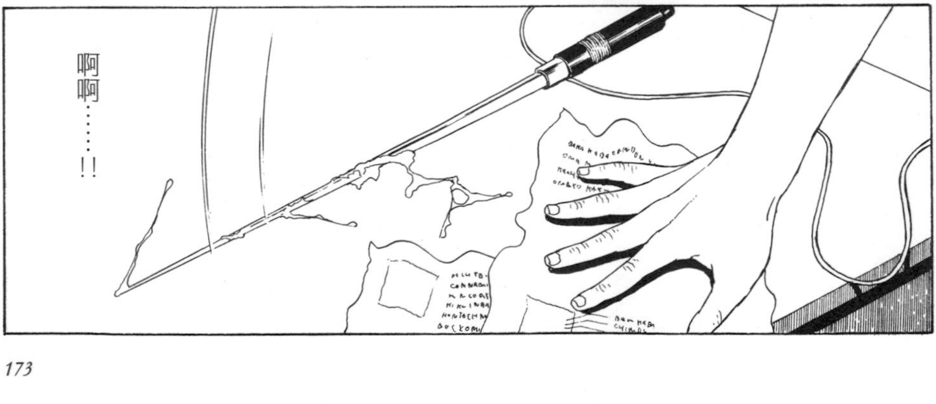
啊啊……!!

對、對了，瑪麗亞……!!
我剛剛對腦袋裡頭動了手腳，視野確實產生了失常。
我要告訴妳，妳沒被包含在那畫面裡!!
7 17 8 18 7 17 6 16 5 15 4 14
嗡咿
咿
咿
嗞……

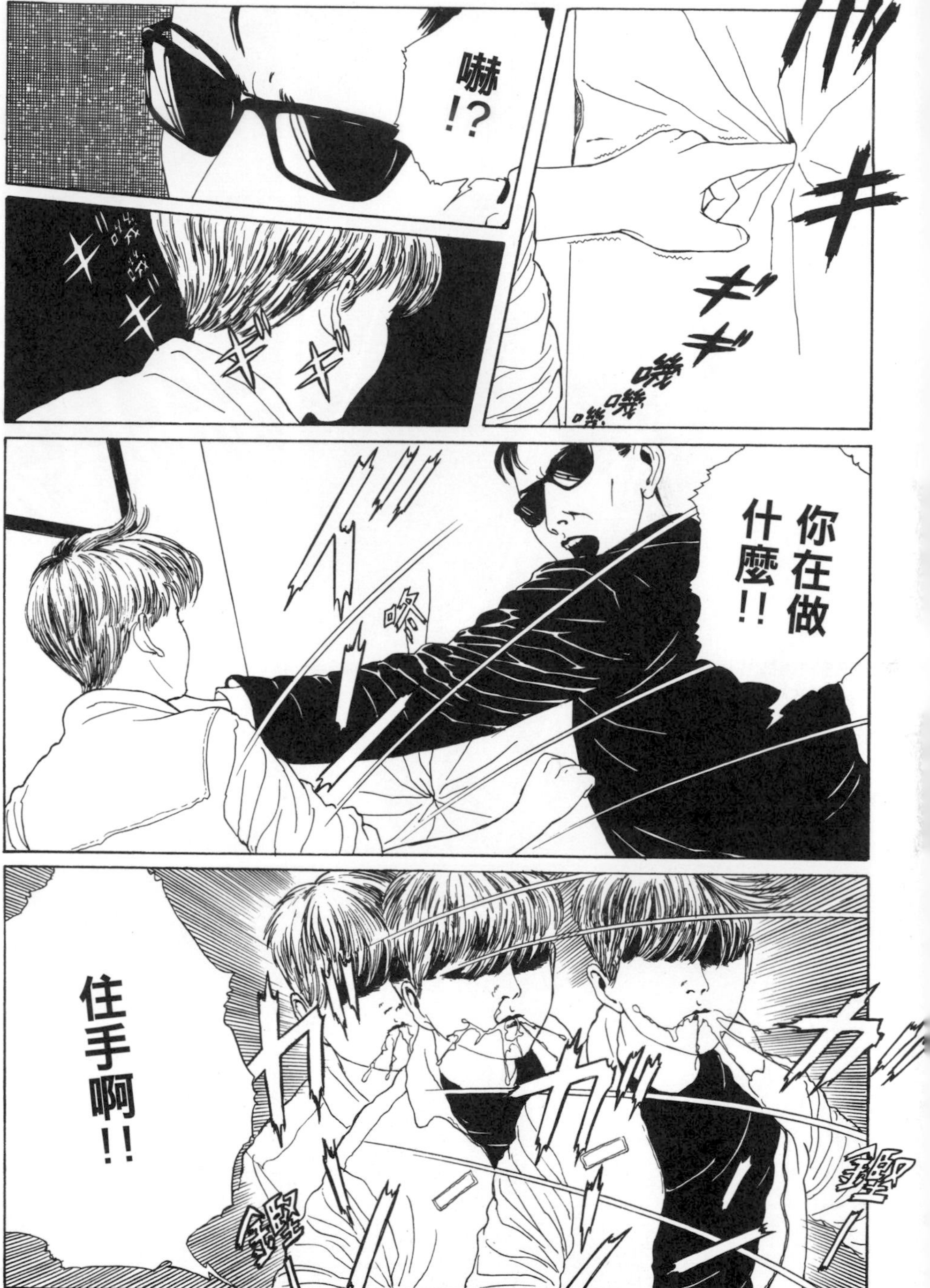

嚇!?
嘰嘰嘰
你在做什麼!!
咚
住手啊!!

ブォォォォォ
轟
ガクッ
晃

唔呃……
……
原來這傢伙也是
我的同類。

呃……
噗嘰
嚇!?
Ma、Ma Ma、Ma Ma、Ma...
Ma Ma Ma Ma Ma
Ma Ma Ma Ma
Ma Ma Ma Maa...
Ma Ma Ma Ma Ma Ma Ma Ma Maa...
媽媽是工廠!!

呼
呼
呼
呼
呼
呼
呼
呼
喂——!!你看，這傢伙好怪呀。

ブゥゥゥゥゥゥゥゥゥゥゥゥ
嗡嗡
ブゥゥゥゥゥゥ
嗡
嘔……

Ma・Ma・瑪麗……亞……嗶
這傢伙是電氣蟻呢。
嗶
嗶
嗶
嗶
嗶
瑪・瑪・麗・麗・麗・麗・麗・麗……亞・瑪・瑪・亞・麗・麗・麗・麗…一・一……
嗶——!!

贗作・電氣蟻／完

日本人星球

PLANET OF THE JAP

西維吉尼亞號遭擊沉！！
一九四一年十二月八日，
日軍對珍珠港發動奇襲。

戰爭開打了。
日本海軍機動部隊的攻擊行動極為卓越，美軍束手無策。
擊墜及破壞三百四十架美國軍機，
四艘戰艦沉沒，兩艘大破。
九艘巡洋艦及驅逐艦沉沒．損壞。

Oh!!
My God!
BANG

「實際上，當時俄羅斯於冬季出人意表地發動襲擊，為我國士氣帶來無上的重擔，德國國內的任何人都認為美國遲早會參戰，此事已成定局，因而意志消沉。日本的介入來得正是時候。」
「你們採取的宣戰方式是正確的。那是唯一適切的方法。」
阿道夫．希特勒
（威廉．夏伊勒《第三帝國興亡史》）
EI-311

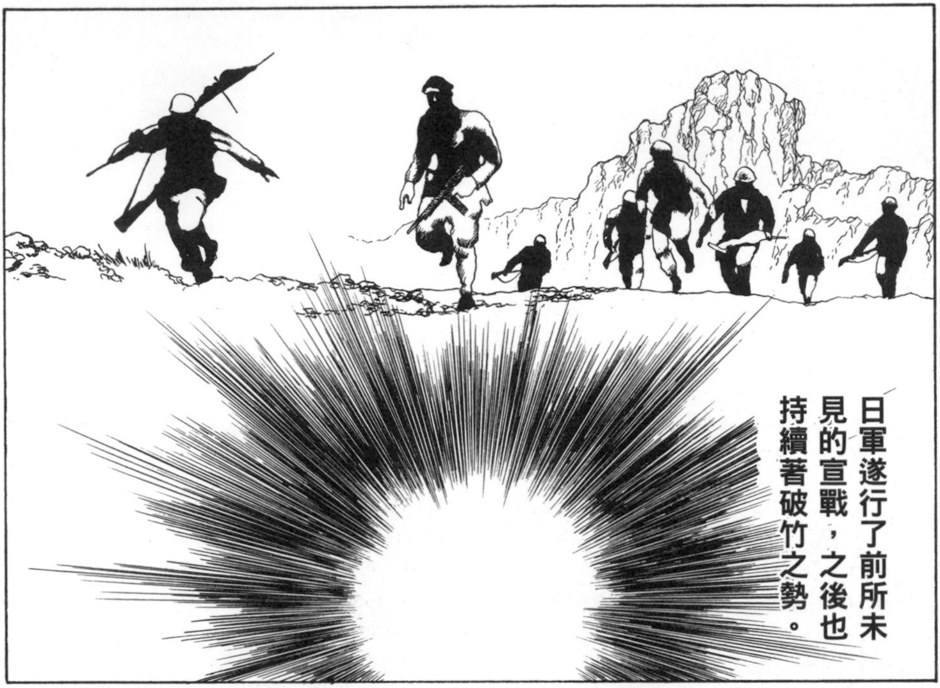
日軍遂行了前所未見的宣戰，之後也持續著破竹之勢。

日軍天下無敵。

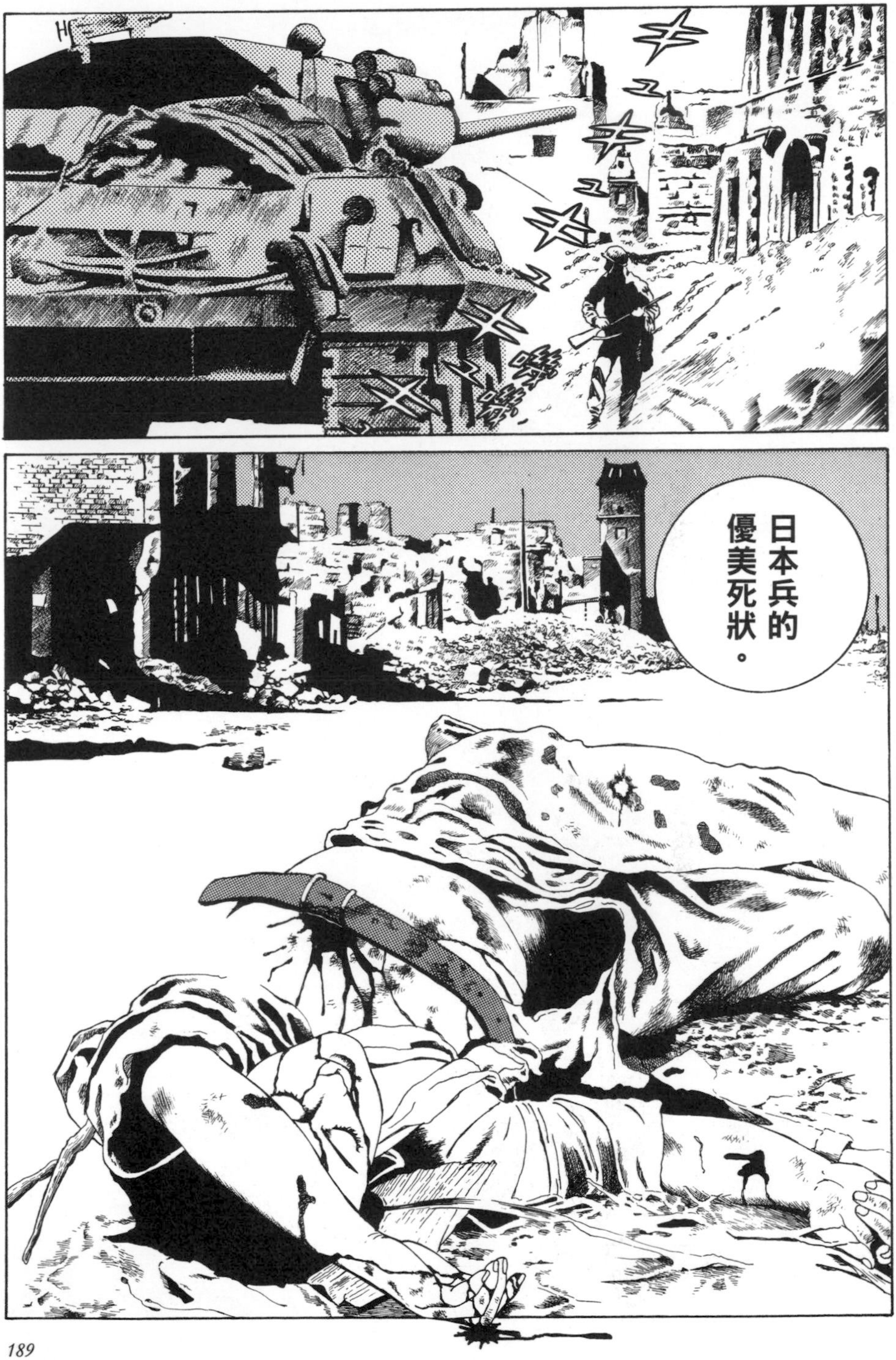
日本兵的優美死狀。

受到轟炸的芝加哥市。
避難的受災者們。
喪失戰意、疲憊至極的美軍士兵。
接著，終於——

一九四五年八月六日
日軍對洛杉磯市投下原子彈。
隨後，於八月九日，對舊金山
市也投下原子彈。

瓦礫都市
洛杉磯

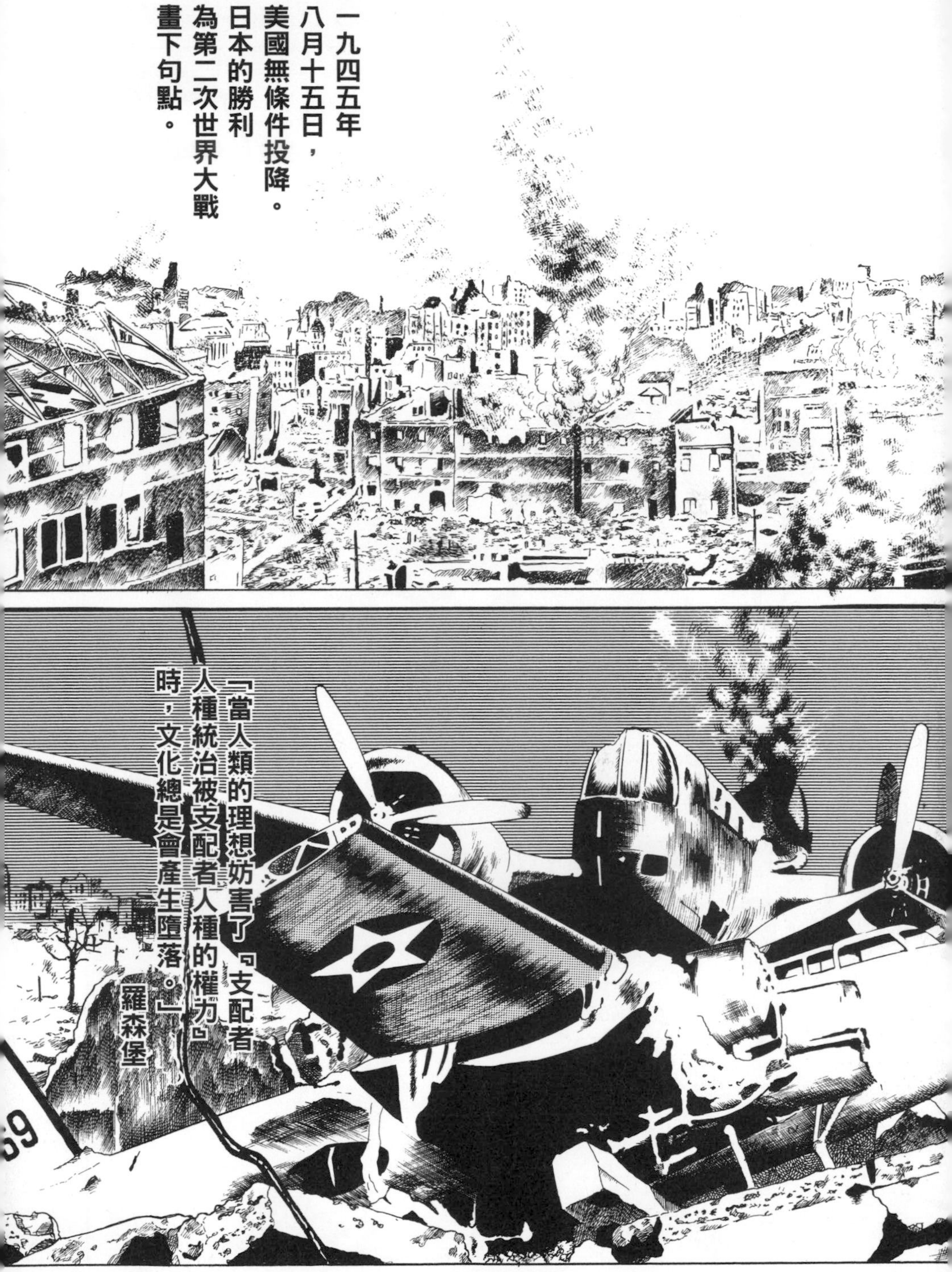
一九四五年
八月十五日，
美國無條件投降。
日本的勝利
為第二次世界大戰
畫下句點。
「當人類的理想妨害了『支配者
人種統治被支配者人種的權力』
時，文化總是會產生墮落。」
羅森堡

裕仁青年團的男孩子們，於同盟國德意志的柏林街道上遊行。

ダーン
噠
ダ
ダーン
噠
ダ
噠
ダ
ダーン
噠
ダーン
噠
ダ
ダーン
噠
ダ
ダ
ダ
ダ
噠
噠
ダ
ダ

ドン
咚
バンザイ
萬歲
萬歲
バンザイ!
バンザイ!
バンザイ!
まっことひさしきこのよろこび
多日待望之米英陥落
期盼多時的英美淪陷

東條英樹，
緩緩走下登機梯。
日本在此展現了佔領的第一步。

死啊，萬歲！
美國的自由猶如黑死病纏身的醜女
大日本帝國

咚
天鵝媽～～～～～
媽……

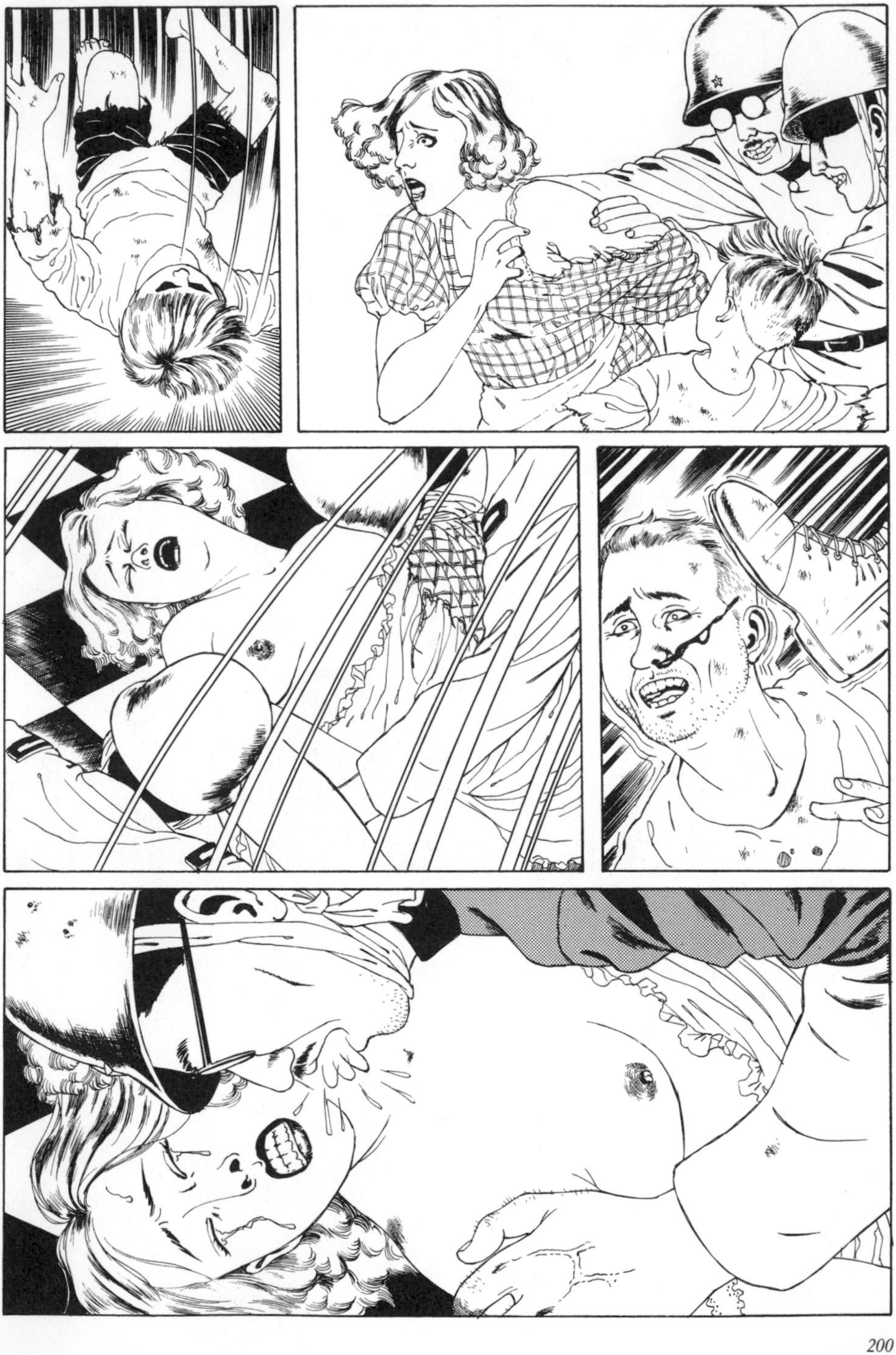

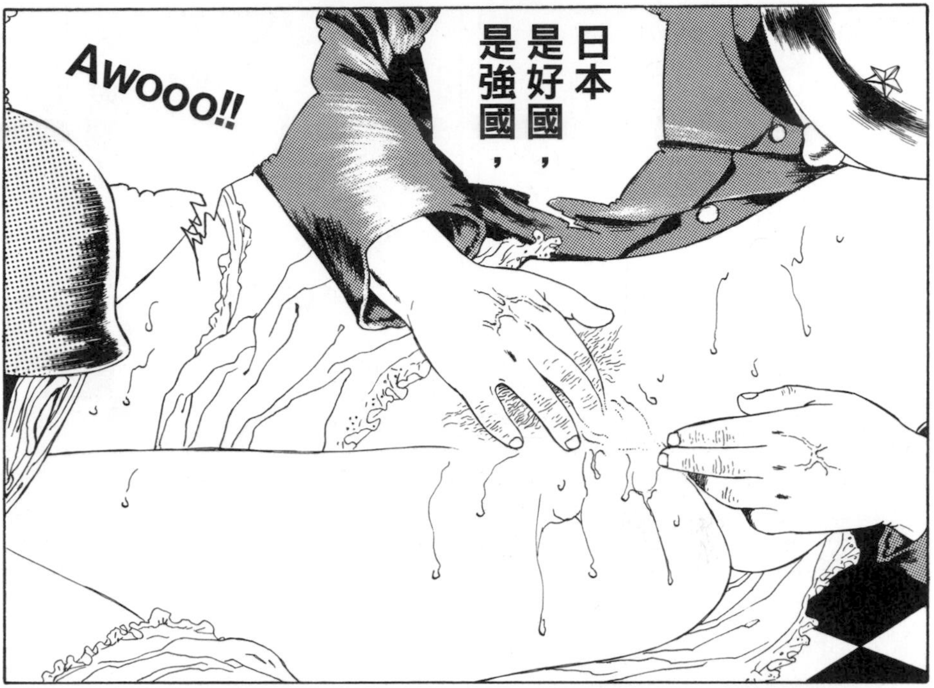

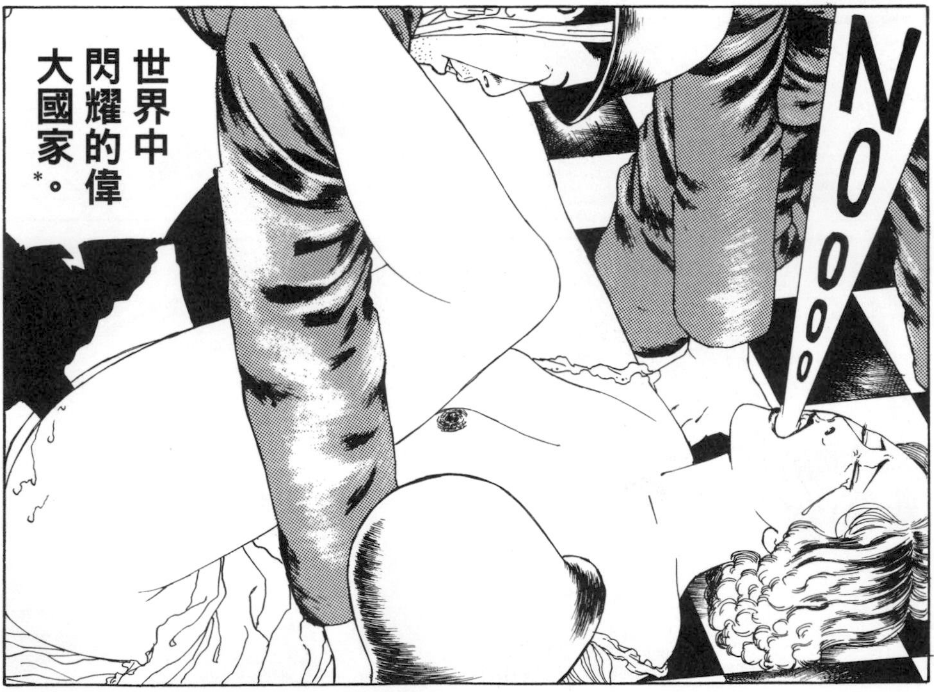

*文部省唱歌〈日本〉

呀啊！呀啊！
哇啊啊啊
吵死了，別哭啦！！
可惡～～煩死人了！！
嗚呀啊啊啊！！
唔～～～～！！

咿!!
咻
ブゥン

哩
無條件投降一年後，
一九四六年
九月三日
下午四點十五分，
日本佔領軍於華盛頓
公開處死
麥克阿瑟元帥。

就讓他戴著太陽眼鏡吧。

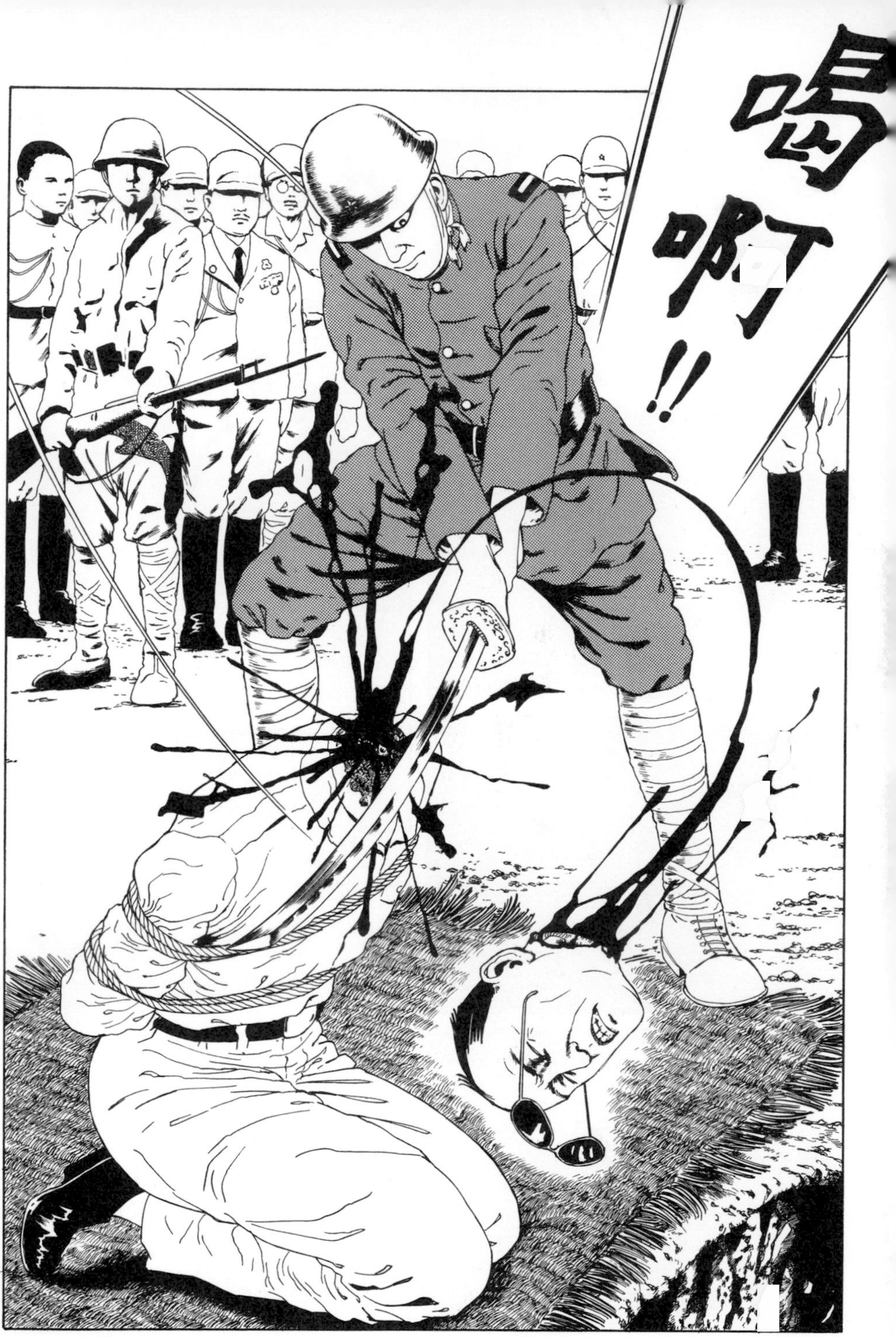
喝啊!!

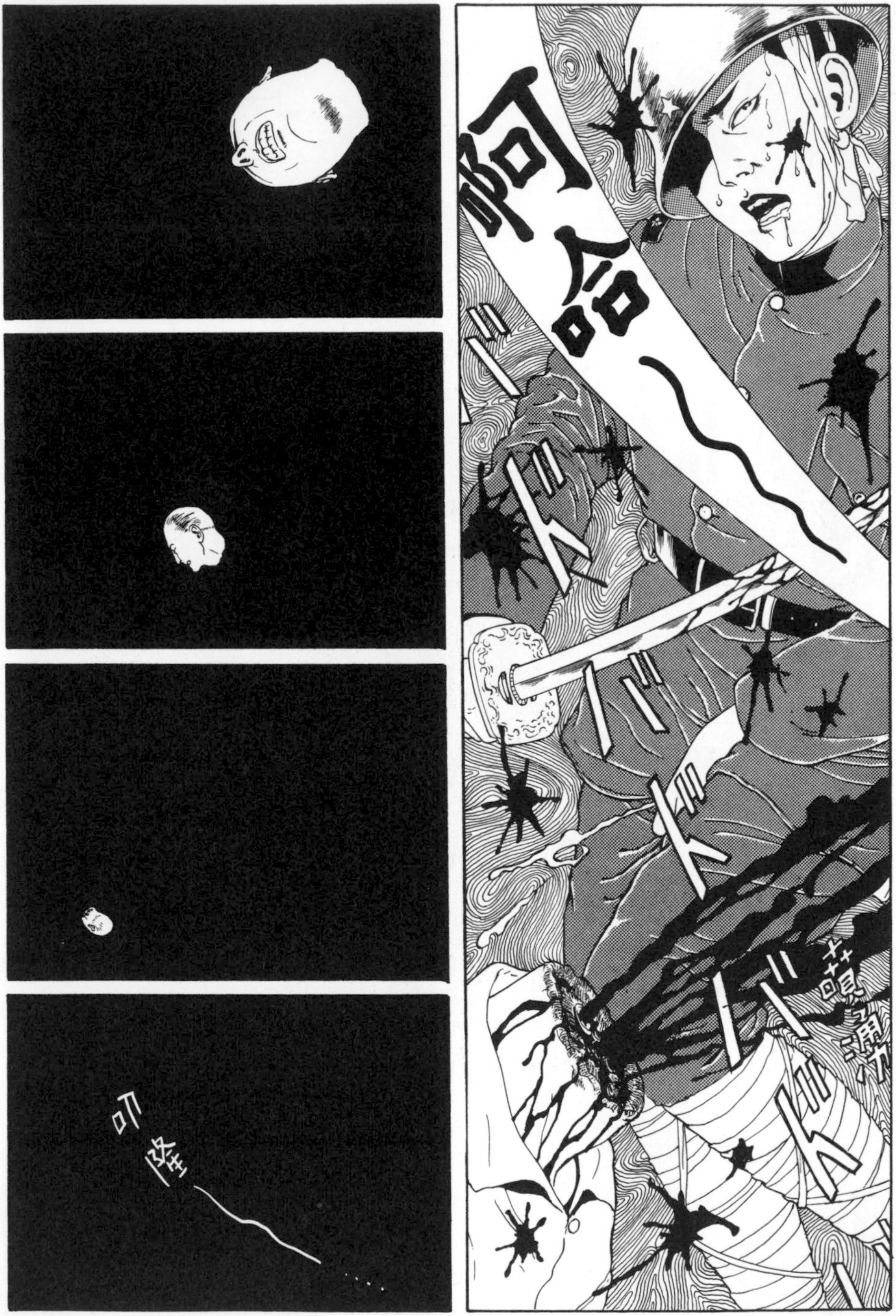
阿部～～～
噴濺
叩隆～……

沒有經歷過戰爭的諸君，
切莫被騙了。
日本絕非戰敗國。
日本現在仍是
世界最強的國家。

日本人星球／完

首度刊載處一覽

再會了昭和◆《月刊 Garo》1988 年 7 月號（青林堂）
電氣蟻◆東京成人俱樂部別冊《ONLY・YOU》1985 年 12/25 號（東京成人俱樂部）
長崎縣南高來郡西有家町慈恩寺◆《NEW PUNCHSAURUS》1985 年 5/11 號（Magazine House）
死啊，萬歲！◆《Video Stalin 的頻道大戰爭》1987 年 9 月 1 日（JICC 出版局）
農林一號◆《SM Spirits》1989 年 3 月號（Million 出版）
蛇少年◆《Hot Dog Press》1987 年 8/25 月號（講談社）
蛇莓 1 ◆《SM Spirits》1989 年 4 月號（Million 出版）
蛇莓 2 ◆《SM Spirits》1989 年 5 月號（Million 出版）
蛇莓 3 ◆《SM Spirits》1989 年 6 月號（Million 出版）
高中三年級生◆《SM Spirits》1989 年 2 月號（Million 出版）
少年畫報◆《SM Spirits》1989 年 7 月號（Million 出版）
BAD ◆《NEW PUNCHSAURUS》1988 年 6/18 號（Magazine House）
極度恐怖◆《NEW PUNCHSAURUS》1988 年 7/4 號（Magazine House）
眠男◆不明（自販機本）
騷人 SŌJIN ◆《Globule》（細野晴臣「Non-Standard Mixture」non-standard book）1984 年 11 月 5 日
金色筆記◆《月刊 Garo》1988 年 7 月號（青林堂）
歡樂分隊◆《SM Spirits》1989 年 1 月號（Million 出版）
贗作・電氣蟻◆《月刊小說王》1984 年 10 月 28 日（角川書店）
日本人星球◆《銀星俱樂部》（Peyotl 工房）

附錄

《新・國立少年》中文版後記／導讀

廚房油煙和工業噪音——談《新・國立少年》中的兩股匯流

格律下的畸形

不免俗地還是要科普一下：初期丸尾漫畫，是腳鐐之舞。

你可能會想像那些破碎、跳躍、短小完全是作者意志的選擇，那就是倒果為因了。

丸尾末廣可說是在「三流劇畫運動」的尾聲登場的。這七〇年代末鼎盛的成人漫畫新浪潮，到了八〇年已開始走下坡，不過仍有許多雜誌存在，舊雜誌消失速度快但新雜誌創刊速度不遑多讓，因此發表平臺仍然相當多。丸尾於是以供短篇稿給這些雜誌的形式展開漫畫家初期生涯，這和大眾漫畫讀者熟知的「出道↓連載↓單行本」路線非常不同。

上述雜誌能給的頁數都很少，一個短篇大多只有四到十二頁。「根本無從編劇，也沒有編的必要。」他說。於是，在龐克音樂作為一個類型開始於日本萌芽的時期，漫畫家丸尾末廣也開始被迫龐克。他自認《發笑吸血鬼》才算是真正的第一個長篇連載，掐指一算，這個龐克期持續了將近二十年之久。

八〇年代後半

本書《新・國立少年》也是初期作品的選輯。雖然出版時間為一九九九年，看似《發笑吸血鬼》的上一本著作，但它其實是長期絕版的《Paranoia Star》和《國立少年》的合併選輯，收錄作品由作者自選，各短篇創作時間幾乎都落在一九八四至八九這五年內。

這是丸尾末廣「地下漫畫之王」地位已然確立的時期。八三年，與他相知相惜的遠藤道郎所屬樂團 THE STALIN 發行第二張主流專輯《虫》，封面由丸尾操刀，以過激演出聞名的該樂團最終成為一種社會現象，而日本的歌德・後龐克先驅 AUTO-MOD 的第一張專輯《Requiem》也在該年發行，同樣找了丸尾畫封套插畫；八四年，丸尾推出自己的永恆代表作《少女椿》的單行本，並開始幫東京大木偶劇團畫公演海報，也客串演出《Mercuro》、《茘枝光倶樂部》等劇目。（題外話是，諸多訪談都看得到丸尾對於「他也在劇團活動」這種陳述的強烈抗拒。不過他並不是「明明沒演被寫成有演」，只是把跑龍套和真正的演員分得很開。）

他和不同領域的新時代青年的相互影響、八〇年代東京地下文化的色彩，以及他自己對老藝術電影、西洋美術、昭和印象的一貫關心，全都可以在這本書中窺見。大概類似你在九〇年代五秒鐘轉一次第四臺，中國古裝劇、美國科幻片、臺灣鄉土劇、香港喜劇電影、鎖碼頻道、日本國民動畫、遠處的戰爭新聞畫面全部都被塞一小塊進你大腦的那種體感吧。

俗世的血肉之輕

「我也很喜歡橫尾忠則。身邊有許多人受到他的影響，無論是刻意或無意向他看齊。蛭子（能收）先生也是吧。（中略）橫尾先生直接採用了安迪・沃荷的手法。絕對不動手畫。」（這裡指的是畫家宣言前的設計師橫尾忠則。）

儘管自嘲創作是「抄襲集大成」，丸尾末廣的行動其實更接近對普普藝術的唱和。他的竊占嫌疑低於那些抄同行的貸本漫畫家或參考攝影作品的劇畫前輩，往往只是將眾所皆知的流行文化肖像拖進作品中，如製作標本般掏空它們原有的內涵，再將它們擺設成「同時代者最熟悉的陌生場面」，並在一首歌的時間內無情地加以爆破。

而當他在原本出自《國立少年》的部分短篇中進行這項操作時，似乎還服膺了另一個原則。

丸尾　我出道的八〇年代經常被人用「陰暗」和「開朗」形容對吧。

兼子　對耶，還有「本性陰沉」這種說法。

丸尾　編輯會對我說：「下一篇畫開朗一點的故事吧。」

兼子　對丸尾先生那樣說嗎（笑）？

丸尾　然後我心想：「開朗就好是吧？」哎，然後就用了橫尾忠則等人的那種調調。

描繪舊日本風景或挪用巴塔耶太悶了嗎？那就給你神似山口百惠的少女幹盡壞事卻全身而退的天理淪喪劇（〈蛇苺〉系列），或者昭和純情戀愛故事和怪談的雜交種（〈蛇少年〉），或者高栗風殘酷繪本的低能大逆轉（〈金色筆記〉，這名字也是挪用來的，原本是多麗絲．萊辛的小說名）……

這些嚴重錯位，這些敘事元素彼此推擠所製造出的大片荒誕之上，竟然還真的長出了幾絲喜感，使血肉模糊的暴虐場面產生一股輕盈。「我討厭濃烈到令人喘不過氣的感覺，也不認為畫面很震撼就叫好、亂七八糟就叫有趣。（中略）我創作時很重視硬質感、透明感。」對於過往缺乏另類作品作為對照的臺灣人而言，丸尾的這個表白可能難以信服（老一輩：日本拉麵就是死鹹而已啦），這時前述那些邪門的搞笑短篇反而成為一種佐證。

如果在（未來）都市的夜裡，一個死人

你從尪仔標、戰敗者的SM劇、《明星》雜誌封面、轉圈轉到爆頭的麥克．傑克森那裡轉個彎，突然就從綜藝娛樂惡夢墜入工業音樂和科幻的世界——認為現代日本都市風景畫起來索然無味因此很少訴說當代故事的丸尾末廣，在《Paranoia Star》留下了幾個都會窒息感強烈的短篇，也反映出他執筆當時和東京大木偶劇團世界觀產生的共鳴。

首先，〈電氣蟻〉的扉頁直接用於《荔枝光俱樂部》一九八六年公演的傳單。再者，《Paranoia Star》的各短篇扉頁底下都寫了推薦聆聽音樂，例如〈電氣蟻〉搭配了DAF的《Gold and Love》和早川義夫的《かっこいいことはなんてかっこ悪いんだろう》（瀟灑是多麼難堪啊），〈贗作　電氣蟻〉的推薦音樂則是New Order的〈Blue Monday〉和Kraftwerk〈Showroom Dummies〉，這些也許反映了丸尾末廣在劇團排演現場浸淫於新音樂的程度。不過這些短篇收錄到《新・國立少年》時，推薦音樂的部分都遭到了刪除。

《Paranoia Star》的幾個短篇最初刊載於《銀星俱樂部》、《東京成人俱樂部》等文藝、次文化性質的雜誌，而非通俗的色情雜誌，因此編輯大概沒請丸尾畫開朗一點的東西，恍惚的惡夢感又歸位了。用典和拼貼仍然大量，只是方向性較為不同：例如書名《Paranoia Star》本身來自遠藤道郎原本要組的樂團團名，〈電氣蟻〉來自科幻名家菲利普・K・狄克的同名短篇小說，錄音帶與現實扭曲的意象顯然也是，不過丸尾是以象徵手法描繪主角的主體性匱乏，而不是真正意義的科幻類型作，到了〈贗作　電氣蟻〉，主角是生化人、「戳弄大腦可以操縱自身感知的現實」這個科幻設定才真正進入故事中；一魚可以三吃，一篇小說當然也可偷兩次。〈SŌJIN〉收錄於細野晴臣專輯的附錄書《GLOBULE》，扉頁直接出現一個高橋幸宏生化人，毀滅都市的大爆炸也令人聯想到八〇年代引起狂潮的大友克洋《阿基拉》。

再見，地下

基於二合一的選錄方式，排除我的家／不接納我的都市、歷史／未來的恐怖意象們得以在《新・國立少年》交織出絢目的水火同源奇景，不過它也成了丸尾初期創作的總結。之後還有一本短篇集《月的愛人》收錄了幾篇九〇年代初的《GARO》刊載作品以及其他散稿，不過當中的〈無耳芳一〉和〈無抵抗都市〉長度已達中篇，讓人明確感覺到他想要把故事畫長的意志，敘事節奏不同於早期。一九九一年，丸尾末廣開始在秋田書店的少年漫畫雜誌《Young Champion》連載《犬神博士》，出道十一年後終於進入主流漫畫世界。而二〇〇八年到《Comic Beam》連載的《帕諾拉馬島綺譚》更拿下手塚文化獎新生獎，給了他持續創作至今的基礎。

《少女椿》作為殘酷童話，有廣納讀者的煽情性（儘管不是出自丸尾的本意），不過《新・國立少年》集合的跨類型精神汙染物、新舊文化的錯落樣貌、少年青年與世界相互憎恨的豐富形式，也許更適合用來縱觀丸尾末廣的創作廣度。

【參考資料】

《東京おとなクラブ・別冊 丸尾末廣 ONLY YOU》
《AX》第8號
《AX》第139號　丸尾末廣畫業40週年紀念特輯
《托米諾的地獄》2 書末訪談
Comic Natalie「丸尾末廣 畫業40週年紀念 Web 原畫展」

黃鴻硯
【公館漫畫私倉兼藝廊「Mangasick」副店長】

MANGA 014
新・國立少年
新ナショナルキッド

作　　　者　丸尾末廣
譯　　　者　黃鴻硯
導　　　讀　黃鴻硯
美術／手寫字　林佳瑩
內 頁 排 版　藍天圖物宣字社
校　　　對　魏秋綢
社長暨總編輯　湯皓全
出　　　版　鯨嶼文化有限公司
地　　　址　231 新北市新店區民權路 108-3 號 6 樓
電　　　話　(02) 22181417
傳　　　真　(02) 86672166
電 子 信 箱　balaena.islet@bookrep.com.tw

發　　　行　遠足文化事業股份有限公司【讀書共和國出版集團】
地　　　址　231 新北市新店區民權路 108-2 號 9 樓
電　　　話　(02) 22181417
傳　　　真　(02) 86671065
電 子 信 箱　service@bookrep.com.tw
客 服 專 線　0800-221-029
法 律 顧 問　華洋法律事務所 蘇文生律師
製　　　版　瑞豐電腦製版印刷股份有限公司
印　　　刷　勁達印刷有限公司
初　　　版　2024 年 5 月
初 版 二 刷　2024 年 7 月

定價 400 元
ISBN 978-626-7243-64-0
EISBN 978-626-7243-62-6（PDF）
EISBN 978-626-7243-63-3（EPUB）